C000186336

Conceptos
fundamentales
de Arte

Herramientas / Arte y Música

El libro universitario

José M.ª Faerna García-Bermejo
y Adolfo Gómez Cedillo

Conceptos
fundamentales
de Arte

Alianza Editorial

© José María Faerna García-Bermejo y Adolfo Gómez Cedillo, 2000
© Alianza Editorial, S. A., Madrid, 2000
   Calle Juan Ignacio Luca de Tena, 15;
   28027 Madrid; teléf. 91 393 88 88
   ISBN: 84-206-8660-3
   Depósito legal: M. 7.648-2000
   Compuesto e impreso en Fernández Ciudad, S. L.
   Catalina Suárez, 19. 28007 Madrid
   Printed in Spain

La nueva colección de Conceptos Fundamentales de Alianza Editorial presenta al estudiante de los primeros cursos de la universidad, de forma clara, concisa y fácilmente accesible, las nociones básicas de distintas ramas del conocimiento: psicología, sociología, ciencia política, historia y filosofía, entre otras. En forma de diccionario breve, el objetivo principal de esta colección es ayudar al estudiante a comprender y adquirir la terminología propia de su disciplina universitaria, tanto sus conceptos específicos como aquellos que, si bien son de uso común, cobran un significado especial en el contexto académico.

Los editores

Introducción

En la concepción y redacción de este libro se han tomado ciertas opciones que es conveniente que el lector conozca para que su manejo le resulte más útil.

Siguiendo las orientaciones comunes de la serie a la que pertenece, hemos pretendido seleccionar y explicar con cierta amplitud y con criterio sintético los grandes conceptos propios de las artes plásticas, la arquitectura, el diseño y las artes decorativas. Las peculiaridades disciplinares y metodológicas de la Historia del Arte y la pluralidad de su ámbito de acción nos han llevado a adoptar una cierta diversidad de estrategias en la selección y redacción de las voces. Algunas de ellas son ideas abstractas, comparables a los *conceptos fundamentales* de cualquier otra disciplina, por lo que se han abordado como explicaciones de carácter teórico; pero otras hacen alusión a realidades históricas, técnicas o materiales, que aconsejan combinar esa aproximación teórica con otra más descriptiva e informativa. Atendiendo a los criterios utilizados para seleccionar las voces, podrían distinguirse cinco modalidades:

— *Voces metodológico-disciplinares,* es decir, conceptos propios de la materia que no pueden adscribirse de forma exclusiva a un periodo o variedad artística determinadas, sino que son aplicables a todos ellos, como «arte», «tema», «naturalismo», etc.
— *Voces histórico-estilísticas,* que se refieren a los grandes periodos históricos, tendencias, corrientes o fenómenos artísticos a lo largo de la historia («Renacimiento», «cubismo», «arte ibérico», «informalismo»).
— *Voces tipológicas,* que corresponden a los distintos tipos de obras artísticas («pintura», «escultura», «arquitectura», «cómic»).
— *Voces iconográfico-temáticas,* es decir, géneros, temas y motivos propios de las obras de arte («paisaje», «desnudo», «Cristo»).

— *Voces formales y técnico-materiales,* referidas a las configuraciones que adoptan los distintos elementos que forman parte de las obras de arte y a los instrumentos y procedimientos técnicos más habituales en las mismas («soportes arquitectónicos», «color», composición», «línea», arco»).

La diversidad de enfoques requerida por la variedad de voces nos ha conducido a plantear su redacción con un criterio comprensivo. Así, por ejemplo, el lector no encontrará una entrada específica para conceptos como «bóveda», *«contrapposto»,* «arte omeya» o «xilografía», sino que éstos se explican, debidamente contextualizados, en las voces más genéricas «cubiertas arquitectónicas», «composición», «arte islámico» o «grabado», respectivamente. El índice analítico que se encuentra al final del libro recoge estas voces secundarias comprendidas en otras y permite su rápida localización y consulta.

Esta opción abre la posibilidad de distintos niveles de utilización: por una parte, se puede obtener una información general y panorámica sobre el estado de la cuestión de un concepto o aspecto genérico recurriendo a las voces mayores ordenadas alfabéticamente; por otra, las voces recogidas en el índice analítico permiten resolver dudas puntuales. De esta manera, aunque el libro no sea propiamente un diccionario, puede utilizarse también de forma parecida a éstos, a modo de primera referencia susceptible de ampliarse en repertorios más especializados.

Como es habitual en este tipo de obras organizadas en entradas alfabéticas, se ha incluido un sistema de referencias cruzadas entre las voces por medio de asteriscos.

El propósito general del libro, con sus distintas posibilidades de lectura más arriba apuntadas, es, en definitiva, ofrecer al lector un pequeño vademécum que le permita introducirse en la disciplina sin conocimientos previos de la misma, o bien obtener una información sintética y comprensiva que le permita solucionar dudas de urgencia si ya posee un nivel más avanzado.

José María Faerna García-Bermejo
Adolfo Gómez Cedillo
Madrid, julio de 1999

A

abstracción En sentido general, la abstracción se relaciona con la capacidad humana de considerar, mediante una operación intelectual, las cualidades y propiedades de un objeto como cosa separada y distinta de ese mismo objeto. De forma análoga, en el ámbito del arte la abstracción se relaciona con la consideración de las formas artísticas como algo independiente de aquello que pudieran representar o significar. Entendida de esta manera, la abstracción es una cualidad que admite distintos grados, y una obra de arte será más abstracta cuanto más se aleje su propósito de la representación de objetos o acontecimientos de cualquier clase. El concepto de abstracción fue introducido en la teoría del arte por el historiador Wilhelm Worringer en su libro *Abstraktion und Einfühlung* (*Abstracción y empatía),* de 1906, donde lo vinculaba a la forma geométrica, bien utilizada por sí misma, como en ciertos motivos decorativos, bien como instrumento para representar formas o ritmos propios de la naturaleza. El pintor Wassily Kandinsky fue el primero que planteó la abstracción como objetivo programático para las artes plásticas y, en concreto, para la pintura en el contexto del expresionismo* germánico inmediatamente anterior a la Primera Guerra Mundial (*véase* arte abstracto). A partir de Kandinsky la abstracción se identificará como uno de los atributos característicos de la vanguardia*, si bien es cierto que hay algunos ejemplos anteriores de obras que suprimen casi todo contenido representativo tradicional (algunas pinturas de Turner o Whistler a mediados del siglo XIX), y que no todo el arte de vanguardia renuncia a la representación. La difusión del arte abstracto ha hecho surgir el concepto de lo figurativo como contraparte (cuando todo el arte *era figurativo* tal distinción no tenía sentido), con lo que se establecen dos categorías antagónicas para clasificar cualquier manifestación pictórica o escultórica contemporánea que pesan demasiado sobre la historia del arte del siglo XX: el debate entre abstracción y figuración es uno de los rasgos característicos del arte moderno, pero no el único; las afinidades y oposiciones entre artistas y tendencias no dependen exclusivamente de que su práctica artística sea abstracta o figurativa. Por otra parte, una vez acuñado el concepto de abstracción como opuesto a figuración, se tiende a aplicarlo de forma retrospectiva, y consideramos más abstractas en términos relativos las obras del pasado que más se separan del naturalismo* y se atienen a criterios de representación simbólicos, idealistas o estilizados. En el ámbito de la arquitectura, que no es un arte de la representación, el concepto de abstracción tiene menos predicamento, aunque también se utiliza para referirse a las tendencias arquitectónicas con marcada inclinación por las formas y volúmenes geométricos despojados de decoración.

abstracto, arte Aunque en términos generales el término «abstracto» se utiliza por oposición a «figurativo» o «naturalista» (*véase* abstracción), en sentido más específico se engloban bajo la denominación de arte abstracto un conjunto de experiencias artísticas desarrolladas a lo largo del siglo xx y cuyo origen se encuentra en el trabajo de algunos artistas de vanguardia* que rechazaron la representación imitativa y comenzaron a concebir la obra de arte como una entidad autónoma que no cabe referir a ninguna temática o contenido ajeno a los propios elementos formales que la configuran: líneas, colores, materias y texturas. Dichas experiencias, no obstante, carecen de un ideario estético común, responden a intereses variados y se plasman en obras

de apariencia muy diferente. Las primeras experiencias abstractas estuvieron marcadas por la influencia de corrientes esotéricas y espiritualistas que concebían las formas y colores como vehículos sensoriales para acceder a un universo espiritual superior, en un proceso similar al que desencadenan los sonidos en las composiciones musicales. Éste es el sentido de buena parte de las pinturas del ruso Wassily Kandinsky, a quien se atribuye la realización de la primera acuarela abstracta en 1910, y de las líricas composiciones de vivos colores organizados en estructuras geométricas muy libres que el francés Robert Delaunay realizó a partir de 1912, y que por sus pretendidas analogías con la música fueron bautizadas por el poeta Guillaume Apollinaire con el nombre de orfismo (en referencia a Orfeo, el músico y poeta de la mitología griega). La teosofía ejerció una gran influencia en el holandés Piet Mondrian, quien acuñó el término neoplasticismo para referirse a sus rigurosas composiciones abstractas, en las que restringió los componentes formales a líneas rectas y rectángulos de colores primarios (amarillo, azul y rojo, junto al blanco y el negro); sus obras y las de sus compañeros del grupo De Stijl (entre ellos Theo van Doesburg), tuvieron una interesante aplicación en el ámbito del diseño industrial y arquitectónico. Muy diferente sentido tuvieron las experiencias analíticas de Kasimir Malévich, creador del suprematismo, una tendencia plasmada a partir de 1915 en pinturas y esculturas de formas geométricas simples (*Cuadrado blanco sobre fondo blanco*, 1919) que no remitían a ninguna entidad trascendente y que fueron asimiladas por los creadores del constructivismo* ruso. Las experiencias pioneras de los artistas abstractos encontraron multitud de desarrollos posteriores. Muchos de los artistas relacionados con el surrealismo*, como Joan Miró o Jean Arp, explotaron la vertiente más libre del arte abstracto, cultivando lo que se ha dado en llamar «abstracción orgánica» (en la que, sin embargo, son frecuentes las referencias figurativas), que a su vez sirvió de punto de partida para el desarrollo del expresionismo abstracto norteamericano y de otras corrientes englobadas dentro del informalismo*. El arte abstracto más rígidamente geométrico ha tenido considerable repercusión en grupos como Abstraction-Création (fundado en París en 1931) y en tendencias artísticas posteriores a la Segunda Guerra Mundial, agrupadas por algunos críticos bajo la denominación de arte neoconcreto.

Academia 1. Institución artística cuyos orígenes se remontan a la Italia del Renacimiento y que toma el nombre de la Academia platónica de la antigua Atenas. Al principio, las academias eran círculos más o menos informales de humanistas acogidos al patrocinio de algún mecenas*

donde se discutía sobre el legado cultural de la Antigüedad grecorromana y en los que, eventualmente, participaban algunos artistas. Más tarde se constituyen academias específicas de pintura y escultura (como la Accademia di San Lucca, fundada en 1593, que agrupaba a los pintores romanos) en sustitución de las viejas cofradías o asociaciones gremiales de artesanos de tradición medieval; este cambio es consecuencia de la reivindicación renacentista de la práctica artística como arte liberal, es decir, como disciplina intelectual basada más en la especulación teórica que en la mera habilidad manual del artesano. En 1648, Luis XIV funda en París la Académie Royal des Beaux-Arts, que ya no es una asociación profesional sino una institución dependiente del Estado, a la vez centro oficial de formación de pintores, escultores y arquitectos e instrumento de regulación y control estatal de todo lo relativo a las artes; sigue siendo un foro de producción y debate teóricos, aunque ahora se orienta a la constitución e imposición de un conjunto de normas inspiradas en el clasicismo* que definen el gusto oficial. El modelo francés se difunde por Europa en el siglo XVIII (la Real Academia de Bellas Artes de San Fernando se funda en Madrid en 1757 y la Royal Academy británica en 1768). El Romanticismo*, con sus ideas acerca de la libertad del artista, pondrá en cuestión el control institucional de las academias; será entonces cuando conceptos como academicismo o «arte académico» se conviertan en sinónimo de conservadurismo artístico. En efecto, en el siglo xix las academias aún eran el centro fundamental de formación de artistas y controlaban los principales instrumentos de relación entre artista y público, como los Salones y las Exposiciones Nacionales, y desde esa situación de poder actuaron como firmes bastiones frente a todos los movimientos renovadores de su tiempo. A finales del siglo xix se empieza a utilizar el término academia para designar a cualquier centro privado de enseñanza artística.

2. Dibujo o pintura que representa un desnudo a partir de un modelo vivo, como los que suelen hacerse a modo de ejercicio durante el aprendizaje en las academias de arte.

arco Elemento arquitectónico, de forma generalmente curva, que cubre un vano* entre dos puntos. Está compuesto por una serie de dovelas, piezas en forma de cuña dispuestas radialmente; la dovela situada en el centro del eje vertical del arco recibe el nombre de clave, y las situadas en su arranque (es decir, en la línea de impostas) se denominan salmeres. La distancia horizontal existente entre los dos salmeres define la luz de un arco, y la distancia vertical entre la línea de impostas y su clave define su flecha. La superficie inferior (cóncava) de las dovelas forma el intradós del arco, mientras que el plano superior (convexo) delimita el trasdós o extradós; el espacio entre el intradós y el trasdós se conoce como rosca. Bajo el arco pueden situarse diferentes tipos de soportes* arquitectónicos (columnas, pilares, muros), y el paramento que lo rodea puede decorarse con diversas molduras: los musulmanes enmarcaban a veces los arcos en un alfiz (moldura en recuadro que arranca generalmente de la línea de impostas), y durante el gótico era frecuente trazar en torno a los arcos un gablete (moldura formada por dos líneas rectas que se unen formando un ángulo muy agudo).

Según su trazado, cabe distinguir numerosos tipos de arco; los más difundidos son el de medio punto (definido por media circunferencia), el apuntado u ojival (formado por dos porciones de circunferencia con igual radio pero centros distintos, que se cortan en la clave formando un ángulo) y el de herradura (aquel cuyo trazado es mayor que media circunferencia), aunque existen muchos otros, como el carpanel (formado por tres o más porciones de circunferencia con centros distintos), el conopial (cuatro porciones de circunferencia, definiendo las dos centrales una forma apuntada), el lobulado (formado por lóbulos yuxtapuestos), el angrelado (con el intradós decorado con una serie de pequeños lóbulos que se cortan formando picos), el escarzano (correspondiente a un ángulo de 60 gra-

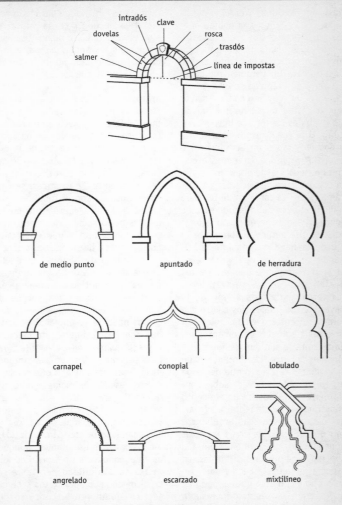

FIGURA 1. El arco.

dos) o el mixtilíneo (formado por líneas mixtas). Un arco también puede ser abocinado o capialzado (aquel en el que la luz aumenta progresivamente de la cara anterior a la posterior de un paramento), ciego (el que tiene tapiada su luz), peraltado (aquel cuya flecha es mayor que la mitad de su luz), rebajado (la flecha es menor que la semiluz), adintelado (con intradós horizontal y despiece radial en las dovelas) o rampante (con los arranques a distinta altura). Desde el punto de vista estructural, existen arcos de descarga (situados sobre un dintel, para reducir el peso del muro que incide sobre él), arcos perpiaños o fajones (dispuestos perpendicularmente al eje de la nave de una iglesia, ciñendo su bóveda; una variante es el arco diafragma, que separa los distintos tramos de la nave), arcos formeros (paralelos al eje de la nave) y arcos torales (los cuatro que forman el crucero en las iglesias). Diversas tipologías y elementos arquitectónicos son derivaciones funcionales del arco. El arbotante es un arco rampante exento que descarga los empujes de la bóveda sobre contrafuertes externos; es un elemento constructivo fundamental en la arquitectura gótica. Las arquivoltas son un conjunto de arcos inscritos unos en otros que forman la portada abocinada de numerosas iglesias, en especial durante la Edad Media. Un arcosolio es un arco que, a modo de nicho, cubre un sepulcro incrustado en el muro. Un arco de triunfo, por último, es un monumento conmemorativo de una victoria militar o algún hecho político relevante ideado por los romanos (*véase* arte romano*) y asimilado por la tradición arquitectónica clasicista.

arquitecto Se entiende por tal el responsable intelectual y civil del diseño de una obra arquitectónica (proceso al que se denomina proyecto), y, eventualmente, de la dirección técnica o facultativa de su construcción. Ese perfil, que aúna facetas técnicas y artísticas, se fija en el siglo XIX con la fundación de las escuelas de Arquitectura como lugares de formación del arquitecto y, aunque resulta válido en términos generales, ha sufrido variaciones a lo largo de la historia. Es en la Grecia antigua donde las fuentes nos han transmitido por primera vez el nombre de arquitectos vinculados a distintas obras, aunque apenas sabemos nada de su formación y atribuciones. La primera información expresa aparece en *De Architectura Libri Decem,* de Vitruvio, el tratado disciplinar más antiguo que conservamos, escrito en Roma, en el siglo I a.C. Para Vitruvio el aprendizaje del arquitecto se funda en saberes prácticos y artesanales *(fabrica)* y en saberes teóricos *(ratiocinatio);* ambos son imprescindibles, aunque es en el conocimiento teórico donde radica su posibilidad de «labrarse crédito» con sus obras. Esos saberes teóricos requieren el concurso de múltiples disciplinas, desde el dibujo y la geometría a la aritmética, la óptica, la historia, la filosofía, la música, la medicina, el derecho y la astronomía. Su ámbito de actuación abarca tanto la construcción de edificios como el diseño de máquinas de guerra (el propio Vitruvio fue ingeniero militar al servicio de Julio César) o relojes de sol. En la Edad Media la noción de proyecto se difumina y predomina la aplicación empírica de soluciones tipológicas y constructivas; el arquitecto medieval es más bien un maestro de obras cuya tarea se desarrolla en un contexto social y técnico de carácter artesanal, por más que en la época del gótico* la complejidad de ese trabajo llegue a ser notable. La idea de proyecto (es decir, la capacidad de prever y diseñar la obra en sus aspectos técnicos y en su configuración formal) no vuelve a adquirir carta de naturaleza hasta el primer Renacimiento* italiano, y la recuperación del tratado de Vitruvio estimula la concepción del arquitecto como figura intelectual ajena a los aspectos artesanales de la ejecución material de la obra. A lo largo de la Edad Moderna su relación con la misma tiende a decantarse del lado de la configuración formal y funcional del proyecto: él es quien da la traza, y la resolución concreta de los aspectos técnicos queda con frecuencia en manos de figuras subalternas. Adscrito al ámbito artístico, el arquitecto se forma en las academias* de Bellas Artes, como los pintores y escultores, donde las enseñanzas científicas y técnicas ocupan un lugar secundario. Con la promoción de la figura del ingeniero civil a partir de la segunda mitad del siglo XVIII, el arquitecto ve recortado su campo de acción: no sólo se le disputa el diseño de construcciones carentes de condición representativa (puentes, arsenales, depósitos, canales, etc.), sino que la sólida preparación técnicocientífica de los ingenieros les coloca en posición más favorable para enfrentarse al reto de los nuevos materiales (hierro y cristal) y técnicas introducidos por la Revolución Industrial. La fundación de escuelas de Arquitectura busca volver a equilibrar las facetas técnica y artística, cuya conjunción cobra una nueva dimensión social en la década de 1920-1930, con el Movimiento Moderno*, que replantea la figura del arquitecto como visionario de la utopía tecnológica y social difundida por la vanguardia*.

arquitectura Desde que en el siglo I a.C., Vitruvio escribiera el primer texto que ha llegado hasta nosotros con la ambición de reflexionar sobre todos los aspectos que atañen a la arquitectura, se han sucedido muchas definiciones del concepto. Ciñéndonos a sus aspectos más genéricos y elementales, la arquitectura es el arte de ordenar y acotar el espacio para el uso humano de acuerdo a un plan previamente establecido; eso incluye tanto la fase estrictamente intelectual de planificación, que suele expresarse a través de representaciones gráficas convencionales (*véase* proyecciones arquitectónicas) y a la que llamamos proyecto, como la construcción efectiva de las estructuras previstas en el mismo, a la que se denomina obra. De este modo, dentro del ámbito de la arquitectura queda comprendida la planificación y construcción de edificios, pero también la ordenación de ciudades y espacios públicos de distinta índole. Esa doble dimensión, intelectual y práctica, es el origen de distintas interpretaciones que ponen el acento en una u otra; así, a veces se ha definido la arquitectura como arte de construir, mientras que en otras ocasiones se ha tendido a explicarla más bien en términos de ciencia o disciplina susceptible de aplicación práctica. Ya desde la Grecia antigua la arquitectura ha sido asociada al ámbito de las artes, tanto por los procedimientos formales e intelectuales utilizados en el proyecto como por la estrecha conexión del trabajo de arquitectos y artistas plásticos en edificios singulares como los templos* clásicos. A partir del Renacimiento esta asociación se reforzará, y teóricos como Leon Battista Alberti insistirán en los aspectos científicos, artísticos e intelectuales de la arquitectura, que quedará incluida hasta el siglo xx en el sistema de las Bellas Artes (*véase* arte) y sometida a las normas del clasicismo*. Habrá que esperar a la irrupción de nuevos materiales y técnicas constructivas (hierro, hor-

migón armado) fruto de la Revolución Industrial en el siglo xix para que los aspectos técnicos y sus repercusiones sobre los aspectos formales y representativos de la arquitectura cobren especial relieve; la formación del arquitecto* se sustraerá entonces del ámbito de las academias de Bellas Artes, con lo que la arquitectura del siglo xx adquirirá esa condición mixta, que no renuncia a su componente artístico, pero que, a diferencia de las artes plásticas, se ve obligada por requisitos funcionales, tecnológicos y de uso que no afectan a aquéllas.

El dominio de la arquitectura puede clasificarse de distintas maneras. Atendiendo al destino para el que se diseñan los edificios, puede hablarse de arquitectura civil (edificios administrativos públicos y privados, comunitarios, de servicios, de vivienda), religiosa, funeraria (tumbas, necrópolis), industrial (fábricas y talleres), etc.; a las distintas clases de edificios que pueden integrarse en cada uno de esos grupos y cuyas funciones determinan la presencia constante de ciertos elementos formales o materiales se les llama tipologías arquitectónicas (el templo* o el teatro* grecorromanos, la iglesia* cristiana, el palacio, la vivienda unifamiliar o colectiva), aunque también se emplea ese concepto para definir ciertas configuraciones formales o ciertos esquemas de distribución de los espacios que pueden aplicarse a diferentes clases de edificios independientemente de su uso. Por su sistema constructivo, podemos distinguir entre arquitecturas arquitrabadas (aquellas que sólo utilizan soportes verticales y cierres horizontales, como la arquitectura griega antigua) y abovedadas (las que definen la relación entre soportes* y cubiertas* por medio del arco* y la bóveda); pero también entre arquitecturas u obras de fábrica (aquellas cuya estructura se basa en muros* de carga, en las que predomina, por tanto, la masa sobre los vanos*) y arquitecturas entramadas (cuya estructura está constituida por un esqueleto de madera, metal u hormigón cerrado por muros y cubiertas; hasta la generalización de estos dos últimos materiales a finales del siglo XIX, lo normal es que las obras de entramado de madera empleen también muros portantes). Puesto que el objeto arquitectónico no se restringe estrictamente al edificio y sus partes, sino que se extiende a espacios públicos y privados de mayor complejidad, hay otros ámbitos relacionados con la arquitectura y la idea de proyecto, aunque no con la construcción: cuando el objeto arquitectónico es la ciudad en general o los espacios urbanos concretos, hablamos de urbanismo, y cuando se centra en el diseño y ordenación de espacios naturales y jardines, se habla de paisajismo o arquitectura del paisaje. La arquitectura también está estrechamente relacionada con el diseño del mobiliario y los objetos que suelen integrarse en los espa-cios arquitectónicos, es decir, con las artes decorativas* y el diseño*, aunque se les suele considerar como ámbitos autónomos que sólo en ocasiones forman parte integrante del proyecto arquitectónico.

art déco Denominación aplicada a un estilo desarrollado en el ámbito de las artes decorativas europeas y americanas durante las décadas de 1920 y 1930, y que alcanza plena consolidación en la Exposition Internationale des Arts Décoratifs celebrada en París en 1925. Como reacción a las formas naturalistas del modernismo* francés, belga y catalán, los diseñadores *déco* (como el ebanista Jacques-Émile Ruhlmann, o Jean Dunand, conocido por sus trabajos de laca) buscan su inspiración en las tendencias más geométricas de la Secession austriaca y los Wiener Werkstätte y en la obra del escocés Charles Rennie Mackintosh, al tiempo que asimilan en términos decorativos las innovaciones del cubismo* sintético y reinterpretan irónicamente motivos neoclásicos y rococó, creando muebles en los que se combina la sobriedad geométrica con ricas aplicaciones y revestimientos y el máximo lujo en la selección de materiales. Los artistas *déco* produjeron lámparas, joyas, textiles y todo tipo de objetos decorativos, e integraron sus creaciones (a menudo piezas únicas) en diseños de interiores para una adinerada clientela. Por extensión, el término también se aplica a pinturas y edificios que guardan relación con ese estilo.

arte El conjunto de prácticas, objetos y productos culturales a los que generalmente llamamos arte es tan extenso y variado como las distintas épocas de la historia en que éstos se han producido (desde el Paleolítico a la actualidad), o los innumerables sistemas culturales en los que se inscriben (desde una tribu amazónica hasta las sociedades informatizadas). Su significado no puede, por tanto, ser único, homogéneo y universal. Sin embargo, al referirnos a las manifestaciones artísticas de una época o un contexto cultural muy diferentes de los nuestros y al trazar su evolución histórica (*véase* historiografía del arte) tendemos a considerar dichas manifestaciones en función del concepto de arte definido por nuestra propia cultura; de hecho, la noción misma de «arte» es una creación netamente occidental, e incluso dentro de ese contexto su significado ha sufrido variaciones sustanciales a lo largo del tiempo. Su origen se remonta a la Grecia antigua, donde, hacia el siglo vi a.C., se empieza a utilizar el término *techné* para referirse a ciertas prácticas u oficios que requerían algún tipo de destreza especial; posteriormente, los romanos traducirían ese término griego por *ars,* de donde procede la palabra arte. El concepto de *techné* es muy genérico, y engloba las prácticas artesanales, la medicina y muchas otras actividades; sólo algunas de ellas tenían como denominador común la *mímesis,* es decir, la imitación o representación de la naturaleza a través de imágenes; son las *techné mimetiké* o artes de la representación, categoría en la que los griegos incluían a la pintura y la escultura junto a la poesía, la música y la danza. Las artes, por tanto, tendrían la capacidad de organizar, mediante la creación de imágenes, universos ficticios distintos del universo común de la experiencia humana, con el que sin embargo guardan cierta relación al ser representaciones de dicho universo. Ya desde los griegos, esta capacidad de representar toma una marcada orientación idealista: mientras que la naturaleza y nuestra experiencia nos muestran miles de casos particulares de cada fenómeno, el artista* puede aspirar a aproximarse, a partir de ellos, a su arquetipo, es decir, a su forma genérica o ideal, máxima expresión de perfección y belleza (*véase* estética); esa opción, predominante, por ejemplo, en la escultura clásica griega, queda bien reflejada en la famosa anécdota de Zeuxis, pintor griego del siglo v a.C., de quien se dice que para pintar una imagen de Elena de Troya reunió a las cinco muchachas más hermosas de la ciudad de Crotona y combinó los rasgos más bellos de cada una. Durante la Edad Media se diluye el vínculo clásico entre arte y representación idealista, y las artes se identifican con meras técnicas de producción de imágenes al servicio de la religión; los artistas, en consecuencia, ocupan un lugar social equivalente al de los artesanos que desempeñan cualquier otro oficio manual o técnico. La cultura medieval excluye a la arquitectura y las artes plásticas del conjunto de disciplinas que se enseñaban en las universidades (el *trivium* –gramática, retórica, dialéctica– y el *quadrivium* –aritmética, geometría, astronomía, música–), y que ostentaban el rango de «artes liberales» (propias de hombres libres) para distinguirlas de los oficios mecánicos o artesanales, que se aprendían por vía empírica y eran propios de siervos. A partir del Renacimiento, sin embargo, se recupera la equiparación clásica de las artes figurativas y la arquitectura a la poesía y la música. La teoría* del arte de la Edad Moderna insistirá sobre todo en ese carácter intelectual de las prácticas artísticas y otorgará un papel secundario a la ejecución material de la obra, que recuerda demasiado al ejercicio artesanal; esa matriz intelectual sería común a todas ellas, más allá de su plasmación material en pinturas, esculturas o arquitecturas, y la teoría artística del Renacimiento y el barroco la expresó en el concepto de *disegno* (*véase* dibujo). El arte ya no sería un mero instrumento de representación de la naturaleza, sino que, trascendiendo las meras apariencias, se convertiría en un modo de aproximación y revelación del mundo de las ideas, un instrumento de conocimiento, de elevación del espíritu hacia la verdad y la belleza; para que cumpla su verdadero objetivo, tanto los criterios de representación como los temas y objetos representados deben ser selectivos, con lo que la práctica artística cobra una clara dimensión moral. A partir del siglo XVIII se generaliza la expresión Bellas Artes para referirse a la pintura, la escultura y la arquitectura, denominación que implica un concepto sistemático y disciplinar de las mismas, vinculado a la nobleza de su cometido y sometido a normas susceptibles de codificación; las academias* serán las instituciones encargadas de la sistematización y enseñanza de ese conjunto normativo. Con el Romanticismo* esa concepción vigente desde el Renacimiento cambia de forma sustancial. Al fragmentarse el modelo ideal de belleza e introducirse nuevas categorías como objetivos propios del arte (lo sublime, lo pintoresco), el sistema de las Bellas Artes, sujeto a normas y abocado a un fin claro y determinado, se viene abajo; sin normas establecidas que sirvan de referencia, el arte se convierte en un proceso que comprende tanto la realización de la obra (entendida ahora como un verdadero acto de creación) como su recepción por el espectador, que también puede interpretarla de forma libre, abierta e individual, más allá de la tradición o la ortodoxia. El arte entra entonces en el dominio de lo subjetivo, entendido como instrumento para la comunicación sin limitaciones ni barreras, y todas las jerarquías establecidas desde el Renacimiento quedan abolidas o, cuando menos, puestas en cuestión; no es casual que la denominación «Bellas Artes», que implica un criterio explícito de valor, haya sido sustituida por otras más neutras y descriptivas como «artes plásticas». Esta concepción del arte generada históricamente a finales del siglo XVIII y principios del XIX es el sustento fundamental de la idea de arte aún hoy vigente, y está en la base del debate sobre la naturaleza y los límites del arte que recorre buena parte de la historia de la vanguardia* y del arte contemporáneo en general, debate que ha acogido posiciones muy variadas e incluso intentos de liquidar el concepto mismo de arte, como el que parte del dadaísmo* y de tendencias posteriores relacionadas con él.

artes aplicadas *Véase* artes decorativas.

artes decorativas Por oposición a las Bellas Artes, los géneros artísticos englobados bajo la denominación de «artes decorativas» o «artes aplicadas» se consideran específicamente subordinados a la labor de embellecimiento u ornamentación de construcciones u objetos de carácter funcional. La distinción jerárquica entre Bellas Artes (con mayúsculas) y artes decorativas (con minúsculas) se enmarca en una larga tradición de desprecio al componente material y utilitario de la obra de arte que se remonta al mundo grecolatino y a la Edad Media (con la división entre artes liberales y artes mecánicas), tradición reforzada durante la Edad Moderna (el artista frente al artesano) y sancionada en los siglos XVIII y XIX con la distinción genérica entre artes mayores (estéticamente autónomas) y artes menores (lastradas por su funcionalidad). Con el triunfo de la Revolución Industrial, la proliferación de productos manufacturados embellecidos artísticamente dio origen al término «artes industriales» para designar las labores herederas de las artes decorativas; el acceso de nuevos sectores sociales a los objetos artísticos creados por la industria creó en paralelo al interés de los historiadores del arte (Gottfried Semper, Aloïs Riegl) por la historia de dichos objetos. Sin embargo, hubo que esperar a la ampliación del concepto de arte llevada a cabo por la vanguardia* y a la gestación del concepto de diseño* industrial en el siglo XX para que se comenzara a poner en entredicho la antigua discriminación entre artes decorativas y Bellas Artes.

La diversidad de actividades y objetos artísticos agrupados bajo el concepto de artes decorativas obliga a introducir un cierto grado de arbitrariedad en su clasificación. Utilizando un criterio estrictamente formal, sin embargo, cabe distinguir entre artes decorativas bidimensionales (vinculadas genéricamente a la pintura) y tridimensionales (id. a la escultura o la arquitectura). Las

principales artes decorativas bidimensionales son la vidriera, el mosaico y las artes textiles. Una vidriera es un bastidor con vidrios
para colocar en ventanas o puertas;
aunque ya se utilizaba antes del gótico*, es gracias a la implantación
de este nuevo lenguaje arquitectónico cuando se desarrolla plenamente. En su elaboración se utilizan
vidrios de varios colores y pintura
sobre vidrio; los vidrios recortados
se ensamblan en un emplomado o
red de plomo de sección en H, y el
conjunto se inserta en un bastidor
de hierro que se coloca en el vano.
El mosaico es un tipo de pavimento
o revestimiento mural que se forma
yuxtaponiendo sobre un fondo de
cemento pequeñas piezas de diversos colores (inicialmente guijarros;
más adelante teselas en piedra o
pasta vítrea, cuyo uso se generaliza
en época helenística y llega a su
máximo esplendor en Bizancio). En
relación con el mosaico están la in-
crustación o embutido (ensamblaje
de piedras de distintos tamaños y
colores en superficies planas) y la
taracea (id. de maderas). Otra familia de trabajos artísticos aplicados
bidimensionales es la de los textiles. Ya se trate de telas, alfombras o
tapices, en su elaboración se realizan una serie de procesos comunes
(hilado, teñido) previos a la operación de tejido (en un telar); esta
última consiste en entrecruzar una
serie de hilos llamados urdimbre,
que se mantienen paralelos y tirantes, en otra serie llamada trama. Los

tapices son tejidos en los que la
trama recubre por completo la urdimbre; se realizan en telares verticales (de alto lizo) u horizontales
(de bajo lizo). Las alfombras son tejidos en los que se anudan una serie
de hilos cortos en la urdimbre, aso-
mando éstos sólo por una cara; hay
tres tipos de nudos fundamentalmente: turco (se rodean dos hilos
de la urdimbre), persa (un solo hilo)
y español (uno solo, pero no en todos los hilos de la urdimbre).
A medio camino entre la creación
bidimensional y tridimensional se
encuentran la glíptica, el esmalte y
la cerámica. La glíptica es el arte
de tallar piedras preciosas o semi-
preciosas, piedras duras (ágata, óni-
ce, malaquita, jade), ámbar, coral y
marfil (en este último caso se denomina eboraria). La talla sobre este
tipo de piedras puede hacerse en
hueco (esto es, con el motivo
rehundido bajo la superficie, como
ocurre en los cilindros-sello meso-
potámicos –véase Próximo Oriente, arte del–), y se denomina enta-
lle; o puede realizarse en relieve, dando origen a un camafeo. El
esmalte es el revestimiento o aco-
plamiento de pasta vítrea sobre
superficies metálicas; existen dos
variedades fundamentales: el esmalte cloissoné (en celdillas) y el esmalte champlevé (en hendiduras).
Las superficies de metal, madera y
otros materiales pueden revestirse
también con laca, un barniz muy
brillante y espeso oriundo de Extremo Oriente. Una cerámica es un ob-

jeto o elemento decorativo modelado con arcilla y después secado o cocido. El proceso de elaboración sigue en general los siguientes pasos: preparación de la pasta; modelado (a mano, con torno, con molde); secado; impermeabilizado (mediante bruñido –presión sobre el objeto con algún instrumento duro para quitarle porosidad–; engobe –aplicación de una capa de arcilla muy depurada–, o vidriado); decoración, y cochura o cocción (una pieza se suele someter a distintas cochuras; la pieza resultante de una primera cocción se denomina bizcocho). Según su resistencia, las cerámicas pueden ser de cuerpo poroso o de cuerpo compacto; entre las primeras se encuentran la terracota (barro cocido sin revestimiento) y la loza (id. con revestimiento esmaltado o barnizado; tres variedades bastante conocidas son la loza dorada –de origen árabe, con reflejos metálicos–, la mayólica o fayenza, y la loza inglesa de Wedgwood; en el ámbito de la loza cabe citar también la azulejería o cerámica de revestimiento). Las principales cerámicas de cuerpo compacto son la porcelana (blanca, traslúcida y resistente; de origen chino, comienza a fabricarse en Europa a principios del siglo XVIII en la fábrica de Meissen, Alemania) y el gres (cerámica de pasta compacta opaca y de color, cocida a unos 1.300 ºC). El estuco, por último, es una pasta de cal, polvo de mármol, arena lavada y yeso que se utiliza en las decoraciones (yeserías), molduras y remates arquitectónicos; es muy ligero y muy poco resistente.

En el ámbito de la creación tridimensional se insertan la ebanistería, la orfebrería y el arte del vidrio. La ebanistería es el trabajo artesanal de la madera con fines decorativos. La denominación procede de la madera que se consideraba más preciosa en el mundo antiguo, el ébano; otras maderas habituales son el nogal, la encina, el roble, el acebo, el ciprés y el peral. La orfebrería es el trabajo artístico sobre metales preciosos, fundamentalmente el oro y la plata, con empleo de diversas técnicas, entre ellas el repujado (reducir el metal a una capa muy fina y martillear el reverso para conseguir un relieve por el anverso). En la decoración se emplean técnicas como la filigrana (soldadura de hilos muy finos de metal), el damasquinado (embutido en frío de láminas de metal precioso sobre un soporte de metal no precioso) y el chapado (soldadura de panes de metal precioso sobre otro menos precioso; actualmente se recurre más a la galvanoplastia, un procedimiento químico de recubrimiento). La manipulación de otros materiales como el hierro o el acero se denomina metalistería, y desde el punto de vista artístico se ha aplicado a la fabricación de armas y rejerías; el hierro se trabaja batiéndolo en caliente sobre el yunque con el martillo: es lo que se conoce como trabajo de forja. El vidrio, por último, es una sustancia resultante de la fusión a alta temperatura (entre 1.300 y 1.500 °C de anhídrido silíceo (obtenido de arena o guijarros de río), óxido de calcio y carbonato sódico o potásico. Se ha empleado para la fabricación de recipientes, figurillas, espejos y arañas (lámparas con brazos y diversos colgantes en torno a un eje central); en su manipulación se han seguido tradicionalmente dos procedimientos, el colado (introducción de pasta de vidrio en un molde) y el soplado (soplar la pasta vítrea fundida a través de una caña de hierro).

artista A lo largo del siglo xx se ha asistido al encumbramiento del artista entre los numerosos agentes que intervienen en el proceso creativo (el cliente y el mecenas*, el público y la crítica, el peso de la tradición, las imposiciones del medio profesional, el desarrollo tecnológico, etc.), pero lo cierto es que la valoración de su papel en el seno de la comunicación artística ha sido muy distinta en otras épocas. En general puede decirse que, en gran medida como resultado de su propia lucha por el reconocimiento profesional, esa valoración ha ido en aumento. En la Antigüedad clásica y durante la Edad Media se consideraba al artista plástico como un mero artesano; especialmente en la tradición platónica, el contacto con la materia hacía de su trabajo una actividad innoble. Es a partir del Renacimiento, gracias a la progresiva

(aunque lenta) liberación de las ataduras gremiales y a la reivindicación del componente intelectual de la actividad artística, cuando se inicia un ascenso que ocasionalmente convertiría a ciertos artistas en figuras socialmente relevantes (Tiziano, Rubens). Dicho ascenso se ve sometido a partir del siglo xix a considerables tensiones, fruto del horizonte crítico en que se interna el arte en la nueva sociedad capitalista. Si bien la figura romántica del artista como genio supone el reconocimiento de su capacidad innovadora y visionaria, de su privilegiada posición como creador de nuevos mundos, también revela al mismo tiempo una situación de enfrentamiento y un marco de alienación que en numerosas ocasiones conduce al fracaso. En adelante, frente a las imágenes del artista triunfador (Picasso) o el artista mediático (Warhol), asumidas y al mismo tiempo criticadas por el artista cínico (Dalí) o por los creadores conceptuales que hacen de su propia imagen física el objeto de su creación, nos encontraremos con la tragedia del artista incomprendido o inadaptado (el artista bohemio), que puede llegar incluso a la autoinmolación (el artista suicida: Van Gogh). Muchos vanguardistas han criticado esta imagen bifronte del artista genial, y han luchado por encontrar nuevas vías de integración del artista en la sociedad, desarrollando con mayor o menor éxito estrategias políticas (el artista comprometido).

B

bacanal Los romanos llamaban así a las ceremonias orgiásticas celebradas en honor del dios Baco. Estos ritos venían de Grecia, donde los misterios dionisiacos (en honor de Dionysos, el dios griego que los romanos asumieron con el nombre de Baco) gozaban de extraordinaria popularidad al menos desde el siglo VI a.C. Dionysos es una divinidad vitalista y silvestre relacionada con la naturaleza, la vegetación y la fertilidad, aunque se le recuerda universalmente como dios del vino. La música, la danza y las libaciones eran parte fundamental de sus ritos, que dieron origen al teatro griego (*véase* teatro* grecorromano); no es difícil imaginar las razones por las que el Senado romano los prohibió en 186 a.C. En el ámbito del arte, se llama bacanales a las representaciones del cortejo de Dionysos/Baco, que no aparece necesariamente en ellas; sus verdaderos protagonistas son las deidades menores que lo acompañan: las ménades o bacantes y los sátiros (también llamados silenos o faunos). Las ménades, de las que cuando estaban poseídas por el espíritu de Dionysos se dice que tenían el don de encantar serpientes y amamantar animales silvestres, son mujeres que danzan frenéticas; sus atributos son los tocados de hiedra, los crótalos con que se acompañan en su baile extático y, a veces, unos tirsos o varas de hinojo con pámpanos. Los sátiros son espíritus de la fertilidad y encarnaciones de la naturaleza salvaje asociadas pronto al mundo dionisiaco; se representan como hombres barbados y, con cierta frecuencia, con patas y cola de caballo o de cabra. Las iconografías* dionisiacas están entre las preferidas de los pintores de vasos cerámicos griegos desde el siglo VI a.C.; en ellos, el dios (barbado, con tocado de hiedra o corona de pámpanos y un tirso acabado en una piña; aunque en la escultura posterior al siglo IV a.C. se le representa sin barba y con rasgos suaves) aparece solo o en compañía de ménades y sátiros, acusando éstos a menudo un ostentoso priapismo; las figuras de ménades son, asimismo, un tema frecuente en la escultura griega posclásica, al igual que los sátiros, que en el periodo helenístico tienen una clara connotación burlesca. En Roma estas iconografías son

poco frecuentes a causa de la prohibición y la mala fama de los ritos
báquicos. Será a partir del Renacimiento cuando estos temas se re-
cuperen a través de pintores como
Giovanni Bellini y, sobre todo, Tiziano, que los tratan siempre en un
contexto culto y humanístico; o Rubens y Velázquez, quien realizó una
muy singular bacanal en su *Triunfo
de Baco,* popularmente conocido
como *Los borrachos.*

baldaquino Dosel sustentado por
columnas o pilares que cubre un altar, una tumba o algún objeto sacro
en las iglesias cristianas, especialmente en las barrocas; el más célebre de todos ellos fue construido
por Gianlorenzo Bernini sobre la
tumba del apóstol san Pedro en la
basílica del Vaticano. Una variante
de baldaquino de dimensiones más
reducidas, el ciborio, servía para co-
ronar el altar o el tabernáculo en
los antiguos templos cristianos.

barroco Aunque tradicionalmente el
término «barroco» se ha empleado
para identificar el estilo* predominante en el arte y la arquitectura
europeos (y coloniales) del siglo XVII
y buena parte del XVIII, en realidad
se trata de un concepto complejo
que plantea al menos tres aplicaciones distintas: concepto de estilo,
adjetivo genérico derivado de dicho
estilo («lo barroco») y concepto de
época. Los historiadores no se ponen de acuerdo sobre el origen del
término (algunos lo relacionan con

la denominación que los portugue-
ses daban a ciertas perlas de forma
irregular; otros con la expresión si-
logística *Baroco,* y otros remiten su
origen al término florentino *baro-
chio,* engaño), pero lo cierto es que
no empieza a aplicarse al ámbito de
la historia del arte hasta bien entrado el siglo XVIII, y siempre en un
sentido despectivo: barroco como
sinónimo de absurdo, estrambótico
o grotesco. Esta apreciación negativa es la que predomina en la utilización del término como estilo (el
barroco como degeneración de los
principios estilísticos del Renacimiento*), al menos hasta la publicación de la obra *Renacimiento y
Barroco* (1888) de Heinrich Wölfflin,
quien será el primero en otorgarle
un valor autónomo, abriendo paso a
una serie de caracterizaciones estilísticas dominadas por las ideas de
dinamismo y tensión, intensidad y
contraste, decorativismo y teatrali-
dad, así como a la definición de un
trazado evolutivo que se iniciaba
con una primera fase conocida
como «barroco temprano», un «pleno barroco» a mediados del siglo XVII, y un «barroco tardío» a finales del XVII y principios del XVIII
que daría paso a las innovaciones
del rococó* y sería definitivamente
clausurado en la segunda mitad del
siglo XVIII por el neoclasicismo*. Paralelamente comenzó a realizarse
una aplicación adjetiva del término, llegándose a hablar de «lo barroco» (Eugenio d'Ors) como un
componente susceptible de encon-

trarse en cualquier otro periodo de la historia del arte (ciertas tendencias de la escultura helenística, por ejemplo, se han denominado barrocas), e incluso en el ámbito de los comportamientos y actitudes humanas. Pese a todo, lo cierto es que la complejidad y enorme variedad de los episodios artísticos desarrollados en èstos siglos acabó conduciendo a una interpretación más abierta del barroco como concepto de época, una época marcada por una profunda crisis social, económica, religiosa que tuvo su reflejo en una serie de fundamentos culturales. Durante el barroco, la sensación de pérdida de seguridad colectiva provoca el descubrimiento y afirmación del sujeto individual, de los sentidos y las emociones, y sobre todo de las experiencias sensitivas «intensas», con la valoración del contraste y la extremosidad. Esa misma inseguridad se traduce en la obsesión por las apariencias: la imagen barroca suele ser extremadamente realista, pero a la vez es engañosa y paradójica, y encierra algo en su interior: es una imagen simbólica, a menudo con un contenido moral aleccionador. La manipulación es precisamente otro de los caracteres de la cultura del barroco; tanto la Iglesia heredera de la Contrarreforma como los monarcas absolutos persiguen la instrumentalización del arte para la seducción sensorial de las masas. Los espectáculos teatrales, procesiones y fiestas en las que se funden persuasivamente distintos géneros artísticos (arquitectura, escultura, pintura) sirven a estos fines; no se trata ya de establecer un control ideológico, sino de lograr una implicación afectiva: que el espectador interiorice una experiencia religiosa o haga suyos los triunfos políticos del catolicismo o la monarquía.

La pintura es el medio artístico primordial del barroco. Las iglesias y monasterios cubren sus paredes de cuadros y frescos donde se narran episodios sagrados y vidas de santos, y los reyes y nobles atesoran en sus palacios colecciones de retratos, bodegones y escenas mitológicas que reflejan su cultura y su poder. Aunque en general suele afirmarse que durante el barroco se asiste al triunfo del naturalismo* pictórico, la producción pictórica de estos años plantea numerosas variantes (cronológicas, nacionales) en un marco de gran complejidad. En Italia, cuna de gran parte de las innovaciones artísticas de la época, la obra de Caravaggio (y de sus seguidores, los caravaggistas) define a principios del siglo XVII un nuevo estilo pictórico, denominado tenebrismo, que se caracteriza por el empleo acentuado del claroscuro* y la representación naturalista de ambientes y personajes, y que ejercerá una enorme influencia en toda la pintura europea inmediatamente posterior. Paralelamente, sin embargo, un naturalismo más comedido sirve para revitalizar la herencia del clasicismo* renacentista en la obra de Annibale Carracci y otros artistas de la escuela romano-boloñesa, especialmente en las grandes decoraciones al fresco (*véase* ilusionismo*) para iglesias y palacios. A mediados de siglo se impone una tendencia más exaltada y grandilocuente, conocida como «barroco decorativo» o «barroco triunfal», cuya máxima expresión se encuentra en las apoteosis (representaciones de reyes y santos en el momento de ser recibidos en el Olimpo o en los cielos); este barroco triunfal cederá paso a lo largo del siglo XVIII a elaboraciones más refinadas. La herencia del clasicismo será aún más relevante en el ámbito de la pintura francesa del siglo XVII (Poussin, Claudio de Lorena), sin duda debido a la influencia de la Academia*; en la centuria siguiente, París desplazará a Roma como principal centro artístico mundial, aunque las nuevos logros de los artistas franceses suelen vincularse específicamente al concepto de rococó. Más claramente identificables con los principios opulentos del barroco son las exuberantes composiciones de Rubens y otros pintores flamencos, entre las que se incluyen escenas mitológicas y religiosas, retratos (Van Dyck) y pinturas de género (Teniers). En Holanda, mientras tanto, se vive una verdadera revolución pictórica, con gran diversidad y abundancia de maestros, en relación con un fenómeno inédito hasta el momento en la historia del arte: la aparición de un amplio público comprador burgués que demanda géneros nuevos o anteriormente marginados para decorar sus viviendas: paisajes* (Ruisdael, Hobbema), naturalezas muertas*, retratos* (Hals, Rembrandt), pinturas de género* y escenas intimistas (Vermeer y la escuela de Delft). En España, por último, el mecenazgo religioso y cortesano promueve un espléndido desarrollo pictórico centrado en las composiciones religiosas y los retratos, aunque no faltan los bodegones y los cuadros de historia; Zurbarán, Ribera y Velázquez serán los máximos representantes de una primera etapa naturalista, mientras que en la segunda mitad de la centuria los pintores de la escuela madrileña y Murillo realizan obras más dinámicas y suntuosas.

El panorama escultórico del barroco es menos variado, y está marcado por la influencia internacional de la obra de Gianlorenzo Bernini, caracterizada por el naturalismo (el deseo de veracidad hace que se recurra al empleo de diversas texturas o materiales en una misma obra, o a la combinación con elementos arquitectónicos; por ejemplo, una figura esculpida que se asoma por una ventana), el dinamismo (frecuente aparición de paños flotantes y cortinajes, posiciones de precario equilibrio) y la expresividad (abundancia de gesticulaciones y señales). La temática es predominantemente religiosa, aunque no faltan las representaciones mitológicas (en fuentes y grupos escultóricos que decoran palacios, jardines y plazas) y los monumentos conmemorativos (tumbas, estatuas ecuestres). Una de las variantes nacionales más interesantes de la escultura barroca se produce en España, con un inédito desarrollo de la imaginería religiosa en madera policromada.

La arquitectura barroca se caracteriza por su dinamismo y plasticidad: proliferan las formas onduladas en plantas, fachadas e interiores, así como la abundante decoración, que llega a su máxima expresión en los retablos* (donde se funden arquitectura, escultura y pintura) y en las construcciones de estilo churrigueresco (en referencia a una importante dinastía de arquitectos españoles, los Churriguera). A pesar de todo, la arquitectura barroca sigue siendo clásica, es decir, desarrolla los fundamentos constructivos y estéticos grecolatinos «redescubiertos» en el Renacimiento, modificándolos conforme a nuevos intereses. Italia, con Bernini y Borromini como principales representantes, es de nuevo la cuna de las principales innovaciones arquitectónicas y urbanísticas, marcadas por el desarrollo de la tipología de iglesia (teniendo muy en cuenta las necesidades de culto marcadas por el Concilio de Trento y plasmadas por vez primera en la iglesia romana de Il Gesù), las fachadas escenográficas y la creación de una nueva trama urbana radial con elementos monumentales (obeliscos, fuentes) en las intersecciones. Algunas de estas novedades urbanísticas tendrán aplicación en las residencias palaciegas de los nobles y monarcas absolutos, en las que el jardín, las fuentes, los pabellones y los «caprichos» cumplen un papel fundamental. Los nuevos palacios barrocos adoptarán como modelo básico la residencia construida a finales del siglo XVII en Versalles por el rey Luis XIV, a partir de la cual se creará un estilo barroco cortesano internacional con especial proyección en Francia, Italia, España, Inglaterra, Austria y Alemania. Asociado a este desarrollo de la arquitectura palaciega, las artes decorativas*, por último, experimentarán un impresionante florecimiento durante la época del barroco.

bizantino, arte El Imperio bizantino, el poder más importante de la cristiandad a lo largo de la Edad Media, inicia su andadura con la división del Imperio romano en el 395, y se prolonga hasta la toma de Constantinopla –la «Roma de Oriente», de cuyo nombre griego, *Byzántion*, proviene el del imperio– en 1453 por los turcos. El arte bizantino parte de la asimilación y reelaboración de elementos de la Antigüedad romana y del mundo oriental para crear un sistema artístico propio relacionado con una concepción teológica y religiosa igualmente propia, que se extiende más allá del fin del imperio en el arte de los países eslavos, especialmente Rusia, evangelizados por la

Iglesia ortodoxa griega; también constituye una influencia desigual y discontinua, pero determinante, en el arte medieval europeo. En su largo desarrollo se distinguen tres etapas: el periodo paleobizantino, hasta principios del siglo VIII, en el que la herencia romana todavía está muy presente y al que pertenece el momento de mayor esplendor, durante el reinado de Justiniano (527-565); el periodo iconoclasta, desde el 726 al 843, dominado por la querella de las imágenes y su rechazo como objeto de culto, y el periodo posticonoclasta, del 843 en adelante, dentro del cual suelen destacarse los «renacimientos» de las dinastías de los macedonios (867-1056) y los paleólogos (1259-1453).

La principal aportación de la arquitectura bizantina es la creación de un tipo de iglesia* que combina la cúpula con el esquema romano-cristiano de la basílica. Su momento más destacado coincide con la época de Justiniano, impulsor de obras como Santa Sofía de Constantinopla (532-537) o las iglesias de Ravena (San Apolinar del Puerto o in classe, San Apolinar Nuevo y San Vital), que ofrecen distintas soluciones espaciales. Desde el punto de vista constructivo, la transición desde un espacio poligonal al perímetro circular de la base de la cúpula se hace mediante pechinas (véase cubiertas arquitectónicas). A partir del siglo IX, el espacio central cupulado tiende a convertirse en un espacio cúbico rematado por una semiesfera

que se conoce como katholikón, al que se subordina toda una serie de espacios menores también rematados por cúpulas más pequeñas. En la conformación del espacio de la iglesia bizantina desempeña un papel singular la luz, modificada por su reflejo en los mármoles y pórfidos de colores de las columnas y en las teselas de los mosaicos, que decoran la mayor parte de los muros, constituyendo una metáfora del espacio trascendente que influirá sobre toda la arquitectura sagrada medieval europea. Durante el siglo VI, la gran tradición romana en el ámbito de las obras públicas tendrá continuidad en las murallas, acueductos y cisternas realizadas en Constantinopla.

La plástica bizantina se centra en la creación de una iconografía* religiosa característica, de imágenes hieráticas que contrastan con el naturalismo de las representaciones romanas y en las que predomina la dimensión simbólica. Lo más destacado son los mosaicos que decoran las iglesias, donde se fijarán buena parte de las iconografías cristianas posteriores, como el pantocrátor (véase Cristo), que suele colocarse en la cúpula central o en el ábside; las iconografías marianas de la theotókos o la hodigitría (véase Virgen), o la del emperador o el obispo haciendo ofrenda (oblatio) del templo, origen de la posterior aparición del donante (véase mecenas) en las imágenes cristianas occidentales. Estas iconografías desarrolladas en los mosaicos y en los libros iluminados pasarán después a la pintura rusa y eslava dando lugar al icono, imagen devocional hierática y frontal, generalmente de busto y sobre tabla, de Cristo, la Virgen o un santo, en la que el efecto cromático y luminoso del mosaico se suple con profusión de fondos dorados y colores planos y brillantes; también tendrán una influencia notable en la pintura italiana de los siglos XIII y XIV. La escultura apenas existe, aunque sí son frecuentes las tallas de marfil, a veces exentas, pero generalmente en bajorrelieve, que constituyen el capítulo más destacado de las artes suntuarias bizantinas.

C

castillo En sentido general, el concepto de castillo puede identificarse con cualquier lugar fortificado de carácter defensivo. Así, castillos serían el alcázar o palacio fortificado donde habitaban los mandatarios musulmanes, el *donjon* o torre vigía que servía de protección a campesinos y siervos franceses durante la Edad Media, y en general las fortalezas, ciudadelas y alcazabas (recintos fortificados enclavados en lugares elevados dentro del perímetro amurallado de una ciudad), e incluso las acrópolis (fortalezas que contenían las principales edificaciones religiosas en las antiguas ciudades griegas). Sin embargo, solemos identificar los castillos con construcciones o conjuntos arquitectónicos amurallados cuyo desarrollo fundamental se produce durante la Edad Media y que presentan una serie de elementos característicos: fosos, torres (entre ellas los baluartes de planta circular, cuadrada o pentagonal que sobresalen en las murallas dificultando el asedio; o la torre del homenaje, la más alta del castillo, donde vasallos y gobernantes realizaban sus juramentos de fidelidad), almenas (los parapetos en forma de prisma que coronan los muros fortificados) y adarves (caminos que recorren la parte superior de las murallas, protegidos por parapetos). Raramente presentan un trazado uniforme, y su planta y estructura suele adaptarse a las condiciones del terreno, ocupando generalmente lugares elevados que faciliten la visibilidad y entorpezcan el acceso de los enemigos.

cisterciense, arquitectura Arquitectura promovida por la orden monástica del Císter a partir de la década de 1130-1140, momento en que se emprende la reforma de la abadía madre de Cîteaux (Francia), de la que la orden toma el nombre. Su principal inspirador, san Bernardo de Clairvaux o Claraval, pretendía restaurar la sobriedad original de la regla benedictina frente a los excesos mundanos de la poderosa orden de Cluny. Bernardo estableció que los monasterios* del Císter se emplazaran «en lugares remotos para el bullicio humano», y nunca en la proximidad de «ciudades, castillos y pueblos». Su arquitectura es simple y despojada, construida en piedra y atenida a los requisitos funcionales mínimos. Las pinturas murales y las esculturas, «que atraen la mirada de los fieles y estorban su devoción», están taxativamente prohibidas, en contraste con la profusión de pinturas murales y relieves en las iglesias, portadas y claustros cluniacenses; ni siquiera se individualiza la iglesia, puesto que las torres están expresamente prohibidas por el estatuto de la orden y la fachada occidental no sirve de acceso principal, que se hace a través del claustro. Las cabeceras suelen ser cuadradas, a veces con capillas adosadas al transepto, aunque en fases más tardías se adopten soluciones más complejas con girola. La arquitectura cisterciense, pese a su carácter bastante definido en sus orígenes, no genera un vocabulario formal propio (salvo excepciones como el característico *cul de lampe,* ménsula* sobre la que entregan los arcos fajones de las bóvedas en la mitad inferior del muro), sino que utiliza el del románico* y, desde finales del siglo xii y a lo largo del xiii, el del protogótico y el gótico*. No obstante, su temprana difusión fuera de Francia y, en concreto, en España (Fitero, 1140; Santes Creus, 1174; Santa María de Huerta, 1179; Poblet, 1184, etc.), contribuyó a la expansión de la bóveda de crucería (*véase* cubiertas arquitectónicas) característica del gótico.

claroscuro Gradación y contraste entre luces y sombras (esto es, entre zonas cromáticas de valores diferentes) en una pintura*. El claroscuro cumple un papel fundamental en la representación pictórica clásica, ya que contribuye a crear un efecto ilusorio de tridimensionalidad sobre la superficie bidimensional del cuadro. La acentuación del claroscuro puede utilizarse también para lograr efectos expresivos y dramáticos, como puede apreciarse especialmente en la obra de los pintores tenebristas del barroco*.

clasicismo A una obra artística o literaria se le atribuye la condición de clásica cuando se la considera ejemplar y, por tanto, digna de imitación; de hecho, el adjetivo latino *classicus* significa «de primera clase», y en la antigua Roma se usaba para designar a los ciudadanos de pleno derecho. Cuando el Renacimiento* reconoció en la cultura de los antiguos griegos y romanos un conjunto de valores que identificó con su propio proyecto ideológico y cultural, propuso, en consecuencia, el estudio y la imitación de las obras artísticas y literarias más destacadas de los antiguos como método más eficaz para acercarse a él. Con ello estaba otorgando a esos productos culturales la condición de clásicos por antonomasia; todavía hoy llamamos de forma genérica «arte clásico» al arte griego* y romano* de la Edad Antigua. El clasicismo sería entonces un sistema de valores asociado al arte de la Antigüedad clásica, así como al arte occidental posterior que toma a aquél como modelo y referencia fundamental. En términos generales, ese sistema se sustenta en la convicción de que el arte* obedece a un orden análogo al que rige en la naturaleza. Del mismo modo que es posible conocer la naturaleza por medio de la razón, sería posible alcanzar la belleza mediante la aplicación de una serie de normas expresadas en la práctica artística en jerarquías, proporciones y medidas, que ya habrían aplicado los antiguos en sus obras. Toda la teoría* artística del clasicismo (iniciada en los tres tratados sobre pintura, arquitectura y escultura escritos por Leon Battista Alberti en la segunda mitad del siglo XV y culminada por las academias* en los siglos XVIII y XIX) busca codificar y hacer explícitas esas normas, a las que se otorga un cierto carácter moral, puesto que al identificarse el orden del arte con el de la naturaleza se equiparan en términos ideales belleza y verdad. La continuidad de ese conjunto normativo y la presencia de los lenguajes formales procedentes del arte antiguo dan una cierta homogeneidad al arte que se inspira en el clasicismo entre los siglos XVI y XIX: representaciones idealizadas en pintura y escultura; primacía del dibujo*, que representa los rasgos genéricos y permanentes de las cosas, frente al color, que refleja lo accidental y cambiante; estricta observancia de la simetría* y la proporción* en arquitectura mediante el uso de sistemas como el de los órdenes* clásicos; preferencia por los temas moralmente elevados en pintura y escultura frente a géneros considerados menores, como el paisaje o el retrato; o por los edificios monumentales y representativos frente a los meramente utilitarios en arquitectura. El sistema del clasicismo constituye el núcleo principal de la tradición artística occidental desde el Renacimiento hasta la ruptura del modelo con el Romanticismo* y, de manera definitiva, con las vanguardias* del siglo XX. Pese a su continuidad pueden distinguirse episodios clasicistas diferenciados en los sucesivos periodos histórico-artísticos, y se habla así de clasicismo renacentista, clasicismo barroco, neoclasicismo*, clasicismo romántico e incluso de manifestaciones que remiten al clasicismo en el arte y la arquitectura modernos, una vez clausurada ya la tradición clásica propiamente dicha.

collage (del francés *coller,* pegar) Procedimiento artístico consistente en pegar sobre un soporte pictórico diversos elementos y materiales no identificables con los pigmentos tradicionales, en ocasiones combinados con áreas dibujadas o pintadas; el término se utiliza también para designar a la obra resultante. La realización del primer *collage* de la historia del arte se atribuye a Pablo Picasso, quien en 1912 añadió un trozo de hule a un bodegón cubista titulado *Naturaleza muerta con silla de rejilla,* y rodeó el perímetro ovalado del lienzo con una soga de cáñamo; paralelamente, su compañero en la gestación del cubismo*, Georges Braque, desarrolló una variante de *collage* conocida como *papier collé* (papel pegado), en la que sólo se emplean fragmentos recortados de papel y cartón. Muchos artistas de vanguardia*, en especial los vinculados al futurismo*, el dadaísmo* y el surrealismo*, desarrollaron las posibilidades expresivas del género, llevando a cabo su aplicación tridimensional en el *assemblage* (agregación escultórica de elementos diversos, preferentemente objetos encontrados). Un *collage* realizado mediante la yuxtaposición de imágenes o fragmentos de imágenes ya dadas se denomina montaje; en el caso de que sólo se utilicen fotografías, recibe el nombre de fotomontaje.

color En sentido coloquial, los colores son atributos de los objetos, es decir, tienen una entidad material que identificamos con el concepto de pigmento, con la sustancia empleada por los pintores para colorear sus creaciones. En términos estrictos, sin embargo, no es así: los colores que vemos en los objetos sólo son realidades psíquicas; son el resultado de nuestra percepción de las radiaciones luminosas que reflejan dichos objetos. Cuando la luz incide sobre un objeto, éste absorbe parte de dicha luz y refleja otra parte; la retina recibe esa luz reflejada y la interpreta en términos de intensidad y longitud de onda, produciéndose la percepción de los colores. De este modo, decimos que un objeto es blanco cuando refleja toda la luz que recibe, que es negro cuando la absorbe toda, que es rojo cuando refleja partículas luminosas con una determinada longitud de onda, y así sucesivamente. Al tratarse de un fenómeno perceptivo subjetivo, que tiene lugar exclusivamente en la mente de cada individuo, el color es el ámbito racionalmente más problemático y resbaladizo en la comunicación artística. No obstante, los investigadores del color han establecido ciertos fundamentos teóricos; Newton planteó la existencia de un espectro cromático básico formado por siete colores (rojo, amarillo, verde, azul, violeta, añil y magenta), y la cromatología (ciencia del color) ha establecido unos estándares de color, una especie de colores normativos que pueden obtenerse mediante la combinación de otros tres, llamados colores primarios: el magenta/rojo, el amarillo y el cián/azul. Igualmente se ha planteado la existencia de una serie de colores complementarios que, al mezclarse uno con otro, dan como resultado el color blanco; así, el rojo es el complementario del verde, el azul del naranja, y el violeta del amarillo; la yuxtaposición de dos colores complementarios en una pintura refuerza la intensidad de ambos, como muy bien sabían Delacroix y los impresionistas.

En la consideración artística de los colores hay que tener en cuenta tres características básicas: la tonalidad, la luminosidad y la saturación. La tonalidad, también llamada tono o matiz, es lo que podríamos identificar con «el color en sí» (verde, rojo...). Las variaciones secundarias de un mismo tono o matiz reciben el nombre de gama (una gama de verdes, una gama de rojos...); los pintores utilizan a veces una tinta transparente, denominada veladura, para suavizar transiciones entre los tonos. El empleo de tonalidades distintas en una misma obra se conoce como policromía, por oposición al uso de una sola (monocromía); el conjunto de tonalidades preferidas por un pintor se denomina *paleta*. Las distintas culturas han atribuido diferentes connotaciones y significados a las distintas tonalidades. Así, hay colores «calientes» y colores «fríos»; colores «terrenales» y «espirituales»; colores «que acercan» y colores «que alejan»; el blanco se ha considerado habitualmente un símbolo de pureza, pero a veces se ha identificado también con la muerte (lividez); el gris se asocia con la idea de debilidad; el negro, con la muerte y el luto; el rojo, con la violencia, la vitalidad y la lujuria; el verde, con la tranquilidad, el equilibrio y la esperanza; el azul, con la idea de ligereza y lejanía. También hay que tener en cuenta las interacciones entre los colores y otras sensaciones perceptivas (acústicas, olfativas, gustativas): es lo que se conoce como sinestesias; así, relacionamos el sonido de un violonchelo con un color oscuro o decimos que el azul es un color frío. La luminosidad o valor es el contenido de claridad u oscuridad que presenta un color dado (verde claro, verde oscuro...); la variación y el contraste entre zonas cromáticas de valores diferentes se conoce en pintura como claroscuro*. Por último, la saturación se identifica con el grado de «pureza» de un color, y es el resultado de la interacción de las otras dos características citadas: la asociación de un tono con un determinado grado de luminosidad produce un color saturado.

cómic El término original inglés ha acabado por imponerse a denominaciones como «historieta», «tebeo» o «tira cómica» para designar a uno de los géneros artísticos más característicos de los medios de masas del siglo xx. El cómic es un relato que integra imágenes dibujadas y textos, por lo general en escenas o viñetas sucesivas, sobre soporte impreso y destinado a la difusión masiva. Como en el cartel o la fotografía*, las imágenes del cómic, aunque realizadas con las técnicas y procedimientos tradicionales del dibujo, están destinadas a la reproducción mecánica en ejemplares idénticos entre sí, por lo que el concepto de «original» propio de los géneros artísticos tradicionales (incluido el grabado*, cuya reproducibilidad es limitada y donde las copias no son idénticas) no puede aplicarse en este caso. El cómic ha generado un lenguaje y una retórica iconográfica propios, aunque algunos de sus recursos procedan de la ilustración gráfica, la pintura o incluso del cine, del que es estrictamente contemporáneo y con el que el cruce de influencias es mutuo. Los textos, dependiendo de su función en el relato, pueden encuadrarse en recuadros o cartuchos (cuando sirven para contextualizar una escena o mantener el hilo narrativo, de manera análoga a la voz en *off* en el cine), en globos o bocadillos que apuntan a los personajes (si son diálogos o parlamentos), en globos con forma de nube o *fumetti* (cuando se trata de pensamientos del personaje), o bien aparecer dibujados en caracteres grandes entre las imágenes de la viñeta (cuando se trata de onomatopeyas que también están bien codificadas, según se refieran a disparos, explosiones, golpes, etc.). Existe todo un repertorio de pequeños iconos convencionales, como los signos de interrogación y admiración que indican el asombro o la sorpresa del personaje, la bombilla encendida que denota una ocurrencia o una idea brillante, las estrellas o pajaritos volando en torno a la cabeza del personaje que indican aturdimiento, etc. Las escenas de las viñetas se componen de acuerdo a un lenguaje similar al del encuadre y el plano cinematográficos (picados y contrapicados,

zooms), y en los gestos y la caracterización de personajes también se da una gama de convenciones que el lector descifra de forma inmediata. El género aparece en la prensa sensacionalista americana de finales del siglo XIX (R. F. Outcault publica *Yellow Kid*, en el *New York World*, en 1896) y adquiere enseguida gran popularidad. En los primeros años del siglo ya hay verdaderas obras maestras, pero la edad dorada son las décadas de los años veinte y treinta, cuando aparecen las primeras revistas y álbumes específicamente consagrados al cómic, y surgen todos los grandes clásicos americanos (los personajes zoomorfos de Walt Disney, en 1930; *Flash Gordon*, de A. Raymond, en 1933; las creaciones de H. Foster; *Dick Tracy*, de Ch. Gould, en 1931) y europeos (*Tintin*, del belga Hergé –Georges Rémi–, en 1930). Durante los años sesenta y setenta el cómic se diversifica y, junto a los productos masivos, aparecen otros destinados a públicos cultos o especializados, como las historietas influidas por el pop* o el cómic *underground* y contracultural. Desde entonces hay una clara separación entre la historieta destinada a un público infantil o masivo y los cómics adultos más elaborados y minoritarios.

composición Se llama así a la disposición que el artista determina para los distintos elementos que integran una obra de arte. La composición obedece a decisiones cuida-

composición

dosamente meditadas, puesto que de ella depende en buena medida que la obra alcance el efecto o satisfaga el significado previsto por el artista. Los sistemas y recursos compositivos guardan estrecha relación con las convenciones lingüísticas y las prioridades artísticas propias de cada época, y a menudo responden a soluciones consagradas por el uso o codificadas por los tratadistas y teóricos del momento. En pintura, las épocas dominadas por criterios de representación simbólicos y no naturalistas, como la Edad Media, favorecen el establecimiento de jerarquías entre las figuras por medio de su ubicación en el conjunto (las más importantes se colocan en el centro de la composición) o de su tamaño (las figuras serán más grandes o más pequeñas según su importancia simbólica, con independencia de su tamaño real); en la pintura y el relieve egipcios se observa el respeto escrupuloso de la ley de frontalidad (enunciada a finales del siglo XIX por el historiador danés Julius Lange), que prescribe la representación frontal del aspecto más característico de cada parte del cuerpo, y de ahí la costumbre de mostrar el rostro de perfil y el torso de frente; en la tradición pictórica occidental que arranca del Renacimiento prima la condición narrativa de las escenas, por lo que los recursos se centran en mostrar la vinculación de las distintas figuras a través de sus gestos y expresiones: ya no será preciso que la fi-

gura más importante se encuentre en el eje de la composición o destaque por su tamaño si los gestos y miradas de las demás conducen la vista hasta él; además, la adopción de la perspectiva determina la aparición de distintos planos de profundidad en la escena, por lo que a veces se colocan figuras anecdóticas en primer término (llamadas *repoussoir,* del francés *repousser,* hacer retroceder) con objeto de proyectar la mirada hacia el fondo, donde se encuentra el asunto principal; el gusto por la simetría* y la correspondencia entre los distintos elementos propia del Renacimiento favorece esquemas compositivos en forma de triángulo equilátero (las *madonnas* de Rafael), mientras que el dinamismo y el efectismo teatral del barroco* llevan a preferir las diagonales como ejes compositivos en detrimento de las ortogonales. En la escultura griega clásica el principal objetivo de la composición es armonizar las distintas partes del cuerpo humano, de forma que la correcta representación particular de sus miembros sea compatible con la expresión del mismo como organismo total; esta idea se resume en el concepto de diartrosis (articulación móvil), que pone el acento en el modo de representar las articulaciones entre el tronco y las extremidades, sobre todo en las esculturas masculinas, pues en las femeninas las formas redondeadas y adiposas suavizan esas transiciones. Hay también recursos compositivos más genéricos que persiguen subrayar o intensificar ciertos aspectos expresivos, como la isocefalia (igualación de la altura de las cabezas de un grupo de figuras para realzar su condición colectiva) o el *contrapposto* (disponer una figura humana con el torso y la parte inferior girados en direcciones opuestas respecto a un eje vertical; es característico del manierismo* italiano –los *ignudi* de la bóveda de la Capilla Sixtina, de Miguel Ángel, aunque se emplea por primera vez en la escultura griega). La especificidad del arte contemporáneo ha dado lugar a un repertorio compositivo propio; desde el cubismo a las distintas variedades de arte abstracto, el desinterés por la representación, que había estado en el centro del arte del pasado, lleva al protagonismo de la textura*, el color* o las implicaciones perceptivas de la forma como elementos compositivos: según se combinen estos factores, se obtendrán efectos de expansión, retracción, dinamismo, equilibrio, alteración de las relaciones figura-fondo, etc. Por último, el concepto de composición en arquitectura se refiere a la disposición sobre el terreno de los distintos espacios y piezas (pórticos, patios, pabellones, estancias, etc.) que integran un edificio o complejo arquitectónico, lo que da lugar a una determinada planta (*véase* proyecciones arquitectónicas). De manera análoga, se aplica a la disposición de los elementos que integran alguna de las partes del edificio, como los vanos, molduras, soportes y ornamentos de una fachada; y también a las técnicas de combinación y manipulación de figuras geométricas para generar formas arquitectónicas, tanto en el plano como en el espacio.

conceptual, arte Denominación aplicada a un amplio conjunto de experiencias artísticas desarrolladas a partir de la década de 1960-1970 y caracterizadas por poner el acento en el contenido conceptual de la obra de arte frente a la realización material de la misma. Los artistas conceptuales exigen la participación mental directa del espectador para dotar de sentido a sus creaciones, buscan nuevos medios de expresión (documentos escritos, fotografías, mapas, vídeos) para dar a conocer sus trabajos y, aunque rechazan la idea de la obra de arte como objeto único y valioso y se oponen a las instituciones artísticas oficiales, suelen utilizar museos y galerías como centros de difusión de sus experiencias, y en ellos realizan *happenings* (representaciones más o menos espontáneas en las que se combinan elementos del teatro y de las artes visuales y a menudo se requiere la participación del público) y *performances* (similares a los *happenings* pero más programadas y en general sin intervención del público), y montan instalaciones (espacios preparados por el artista con el fin de transmitir al espectador una serie de estímulos sensoriales –visuales, táctiles, auditivos, cinéticos, olfativos–). En la gestación del arte conceptual ejerció una influencia fundamental la obra de Marcel Duchamp y, ya en la década de los cincuenta, la de Jasper Johns y Robert Rauschenberg (precursores del arte pop* norteamericano), y los europeos Yves Klein y Piero Manzoni; su puesta en cuestión del concepto de arte sirvió de punto de partida para el posterior desarrollo de las diversas vertientes de la nueva tendencia: algunos artistas se interesaron especialmente por el *happening* y sus variantes, creando lo que ha dado en llamarse arte de acción (Allan Kaprow, Joseph Beuys y los grupos Fluxus y Gutai); otros exploraron una vía más específicamente lingüística (Joseph Kosuth y el grupo Art & Language); otros, como los británicos Gilbert & George, objetualizaron su propio cuerpo y se expusieron a sí mismos como obras de arte, convirtiéndose en pioneros del *Body Art* (arte del cuerpo); y otros (Richard Long, Robert Smithson) se sirvieron del paisaje natural –más o menos transformado– como vehículo expresivo, desarrollando el *Land Art* («arte de la tierra»). Aunque con sus características específicas, otras dos importantes tendencias artísticas surgidas en la década de los sesenta suelen vincularse al arte conceptual: el *Minimal Art* o minimalismo norteamericano, caracterizado por la elaboración de estructuras tridimensionales muy simples, a menudo geométricas y organizadas

en series repetitivas, y el *Arte Povera* (arte pobre) italiano, movimiento bautizado por el crítico Germano Celant en 1967 y centrado en la plasmación en esculturas e instalaciones de procesos de manipulación de materiales naturales o industriales en estado bruto.

constructivismo El desarrollo de un arte abstracto* de inspiración geométrica en el seno de la vanguardia* rusa posterior a la Revolución de Octubre condujo a una cierta división entre quienes propugnaban la continuidad de la práctica artística –y especialmente la pintura– como actividad autónoma y quienes optaron por la aplicación preferente de los nuevos lenguajes artísticos a la construcción del entorno de la nueva sociedad revolucionaria y maquinista –es decir, a la arquitectura, el diseño* industrial, la propaganda política, etc.–; estos últimos constituyeron una tendencia a la que enseguida empezó a denominarse constructivismo, y cuyos principales representantes fueron Vladimir Tatlin, Alexander Rodchenko, Liubov Popova y El Lissitzky. El constructivismo ruso (al que a veces se denominó en su época productivismo) tiene lugar entre 1917 y 1922, fecha en que el régimen soviético empieza a distanciarse de forma explícita del arte de vanguardia, y en su desarrollo tuvieron un papel de gran importancia ciertas instituciones educativas estatales relacionadas con las artes, como los vkhutemas (Estudios Técnicos y Artísticos Superiores del Estado, establecidos en Moscú, Petrogrado y Vitebsk en la década de 1920-1930) o el Inkhuk (Instituto de Cultura Pictórica, fundado en Moscú en 1920). También se adscribe al constructivismo la mayor parte de la arquitectura soviética vinculada a la vanguardia (K. S. Melnikov, los hermanos Vesnin). El constructivismo encarna más claramente que cualquier otra tendencia la idea del artista como visionario e ingeniero del nuevo orden social, y su influencia en la vanguardia y el Movimiento Moderno* europeos fue inmensa; a ella contribuyeron también algunos artistas que en Rusia se habían vinculado a la defensa de la práctica autónoma del arte, como Naum Gabo o Antoine Pevsner, por lo que el término acabó por adquirir un significado más difuso y genérico del que había tenido en la Unión Soviética, identificándose en mayor o menor grado con casi todas las actitudes analíticas y geometrizantes que se dan en el seno del arte, el diseño y la arquitectura de los años veinte y treinta. De este modo, se relacionan con el constructivismo el neoplasticismo y la arquitectura holandesa de vanguardia, la actitud dominante en la Bauhaus alemana desde 1923 y la de grupos defensores de la abstracción geométrica en pintura, como Abstraction-Création en Francia o *Circle* en Gran Bretaña.

cretense, arte *Véase* minoico, arte*.

Cristo La figura de Cristo protagoniza buena parte de las representaciones del arte occidental desde la Antigüedad tardía. Los primeros cristianos adoptaron modelos grecorromanos relacionados con el héroe mítico Orfeo o el dios Hermes para crear las primeras iconografías* de Cristo, entre las que destaca la imagen del Buen Pastor, que aparece de pie, guardando su rebaño o cargando sobre sus hombros una oveja; en el arte paleocristiano* es frecuente también la representación en los sarcófagos y en las paredes de las catacumbas del monograma de Cristo, el crismón, formado por el entrecruzamiento de las dos primeras letras de su nombre en griego, la ji (χ) y la ro (ρ), acompañadas en ocasiones por las letras alfa y omega, símbolo del principio y el fin de todas las cosas. Durante la Alta Edad Media se produce un amplio desarrollo de la iconografía de Cristo; en el siglo XI, y en el ámbito del arte bizantino*, se difunden dos representaciones canónicas, el Cristo Emmanuel, joven, sin barba y con los cabellos cortos, que bendice al mundo con su mano derecha y en ocasiones sostiene los Evangelios en su mano izquierda; y el Cristo Pantocrátor, una imagen de busto con barba, cabellos largos y nimbo (el disco sagrado que rodea la cabeza de todos los santos), que igualmente bendice con su mano derecha y sostiene el libro sagrado en la izquierda. Durante el románico* y el gótico* predomina la imagen de

Cristo en Majestad o *Maiestas Domini*, en la que aparece entronizado dentro de una mandorla o almendra mística (forma elíptica que rodea la figura divina) y encuadrado por el tetramorfos o representación simbólica de los cuatro evangelistas: el hombre o el ángel (símbolo de san Mateo) y el águila (san Juan) arriba, y el toro (san Lucas) y el león (san Marcos) abajo. A lo largo de la Edad Media proliferan también las representaciones de diversos episodios de la vida de Jesús, en ocasiones agrupados en ciclos narrativos. Entre ellos cabe destacar la Natividad o Adoración de los Pastores; la Epifanía o Adoración de los Magos (que simbolizan las tres edades de la vida o las tres partes del mundo entonces conocido –Europa, África y Asia–); el Bautismo (san Juan derrama el agua bautismal en la cabeza de Jesús, sobre la que aparece la paloma del Espíritu Santo); diferentes episodios de la Pasión, como la Flagelación o la Coronación de Espinas, de donde derivan dos iconografías recurrentes, el Cristo atado a la columna y el *Ecce Homo* (desnudo y con el cuerpo magullado, con la corona de espinas, el cetro de caña y el manto de púrpura); el Descendimiento de la Cruz; la Piedad (representación de la Virgen con Cristo muerto en sus brazos); el Entierro, o la Resurrección. Sin embargo, el episodio de la vida de Cristo más representado de toda la historia del arte es sin duda la Crucifixión, hasta el punto de que hablamos genéricamente de «un cristo» cuando nos referimos a una imagen pictórica o escultórica de Jesús crucificado. Habitualmente, una crucifixión incluye a Cristo muerto, clavado en la cruz* (con cuatro clavos hasta el siglo XIII, con tres posteriormente) y flanqueado por la Virgen y san Juan; a ellos se suman opcionalmente otros personajes, como los dos ladrones, las santas mujeres, los soldados, la Magdalena arrepentida, la Verónica (que en la ascensión al Calvario enjugó el rostro del crucificado, episodio de donde deriva otra conocida iconografía, la Santa Faz, reproducción del rostro de Cristo sobre un trozo de paño), e incluso los donantes de la obra en oración. La mayor parte de todos estos episodios serán desarrollados y diversificados durante el Renacimiento y el barroco, hasta que la progresiva desacralización que caracteriza al arte contemporáneo relegue las representaciones de Cristo a un papel muy secundario en el ámbito de la historia del arte.

cruz Definida por el DRAE como «figura formada por dos líneas que se atraviesan o cortan perpendicularmente», la cruz es el símbolo fundamental de la religión cristiana (al menos desde el siglo V, cuando desplaza al crismón o monograma de Cristo*), y ha sido empleada como elemento definidor de las plantas de muchos de sus templos y representada en innumerables imágenes.

Presenta numerosas variantes, entre las que cabe destacar la cruz latina (la más difundida, con uno de los brazos más largo que los tres restantes), la cruz griega (con los cuatro brazos iguales), la cruz de san Andrés (en forma de aspa), la cruz en tau (T) y la cruz potenzada o patada (con cuatro pequeños travesaños en sus extremidades). La cruz ha sido empleada también en otros ámbitos culturales y con significados muy diversos; en el Neolítico y en el mundo antiguo proliferan las cruces gamadas o esvásticas (un tipo de cruz griega con los brazos doblados en ángulo recto), y los antiguos egipcios representaban cruces ansatas (una variante de la cruz en tau con un asa sobre el travesaño) en sus pinturas y relieves.

cubiertas arquitectónicas En arquitectura se llama cubierta al elemento o conjunto de elementos que cierra una construcción por su parte superior; el término se aplica tanto a la parte interior de la misma como a los revestimientos o tejados exteriores, que pueden responder a configuraciones y sistemas diferentes. Pueden distinguirse tres tipos fundamentales de cubiertas: las armaduras, las bóvedas y las cubiertas planas; dentro de las bóvedas se incluirían también las cúpulas, aunque de hecho constituyen un grupo tipológico independiente. Las armaduras son cubiertas constituidas por un armazón de madera que al exterior se suele revestir de tejas, dando

como resultado tejados a dos o más aguas o vertientes. Las armaduras más sencillas son las de parhilera o mojinetes, que dan cubiertas a dos aguas de sección triangular; las vigas dispuestas de forma oblicua que forman cada uno de los paños o faldones de las vertientes se llaman pares o alfardas, y todas ellas coinciden en una viga superior longitudinal que forma el vértice de la cubierta llamada hilera; el extremo inferior de los pares se apoya sobre unas vigas horizontales colocadas encima de los muros laterales (estribos o soleras), y de una a otra, para contrarrestar los empujes laterales, se colocan otras vigas transversales, normalmente pareadas y a intervalos distintos de los pares (tirantes), que forman la base del triángulo; en el extremo de los tirantes y para afirmarlos con mayor seguridad se ponen a veces unas ménsulas o apeos llamados canes. Las armaduras de par y nudillo son armaduras de parhilera a las que se ha añadido una suerte de tirantes secundarios llamados nudillos; éstos van de par a par a dos tercios de su altura para así evitar su pandeo o tendencia a abombarse; a la superficie plana que forma la sucesión de nudillos se le llama harneruelo o almizate, y con ella las armaduras de par y nudillo cobran su característica sección en forma de trapecio. También tienen esa sección las armaduras de artesa o de limas que, a diferencia de las dos anteriores, que en los lados menores apoyaban directamente sobre

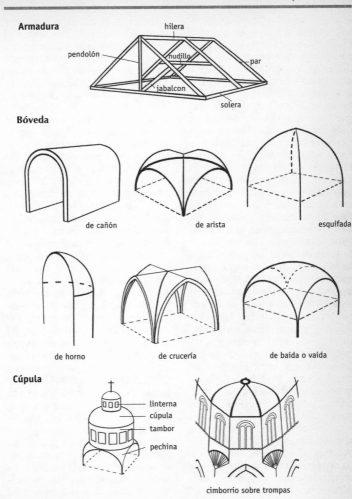

Armadura

hilera

pendolón

nudillo

par

jabalcon

solera

Bóveda

de cañón

de arista

esquifada

de horno

de crucería

de baida o vaida

Cúpula

linterna

cúpula

tambor

pechina

cimborrio sobre trompas

FIGURA 2. Cubiertas arquitectónicas.

el muro, presentan también faldones en ellos, dando lugar a cubiertas a cuatro, seis, ocho o más aguas muy desiguales; las vigas que articulan los faldones contiguos se llaman limas o bordones, y los pares de los faldones menores, péndolas; estas armaduras reciben distintos nombres dependiendo de que en cada encuentro entre faldones haya una sola lima (de lima-bordón) o dos que dejan entre sí una calle intermedia (de limas moamares); cuando la cubierta es de seis o más aguas y cierra un espacio rectangular o cuadrangular, la transición se hace por medio de cuadrantes o tableros horizontales de forma triangular. Los artesonados de madera de tradición árabe, así llamados por su forma de artesa invertida y muy frecuentes en España (*véase* mudéjar, arte), se confunden a veces con las armaduras de artesa; sin embargo, los artesonados son más bien techos o cerramientos superiores de una estancia que cubiertas propiamente dichas, y su condición es más decorativa que estrictamente funcional; en ellos también se llama almizate o harneruelo a la superficie central, y pares o alfardas a los que constituyen los paños inclinados; las cornisas sobre las que apoyan los pares se denominan arrocabes o almarvates. Las bóvedas son cubiertas de sección curva que cierran una crujía (*véase* muro y soportes arquitectónicos). A menudo se definen como la proyección de un arco* o varios en el espacio, y ciertamente

se basan en el mismo principio estructural que éste. La forma más primitiva de bóveda es la que resulta de la aproximación progresiva de las hiladas de dos muros afrontados según éstos ganan en altura (falsa bóveda o bóveda por aproximación de hiladas). La bóveda de cañón resulta de la proyección de un arco de medio punto; cuando cubre el espacio que queda entre dos muros o peristilos circulares y concéntricos se llama bóveda anular; si el arco que la genera es apuntado y no de medio punto, estamos ante una bóveda *de* cañón apuntado; si es rebajado o peraltado, la bóveda también se llama así; si es adintelado, se llama bóveda plana, y si éste es la mitad de un arco de medio punto, estamos ante una bóveda de cuarto de cañón. El cruce en ángulo recto de dos bóvedas de cañón de la misma flecha produce una bóveda de arista, y su intersección de manera que queden cuatro superficies de un cuarto de esfera que se encuentran en aristas cóncavas cubriendo un espacio cuadrado, al tiempo que disminuyen conforme se elevan y se curvan hacia el centro, origina una bóveda esquifada o claustral (si cubre un espacio poligonal de más lados, especialmente uno de planta octogonal, se llama de paños). La bóveda de horno es la formada por un cuarto de esfera, y se utiliza sobre todo para el cierre de hornacinas o ábsides de planta semicircular. La bóveda de crucería o de ojivas es una bóveda de arista generada por arcos apuntados en la que las aristas se refuerzan por medio de nervios; los paños que quedan entre los nervios se llaman plementos, y éstos pueden formar un conjunto solidario o ser independientes unos de otros; la bóveda de crucería es el fundamento del sistema constructivo del gótico* al permitir una mayor concentración puntual de los empujes, canalizados por los nervios hacia los pilares; cuando a los nervios diagonales –a cuyo encuentro se llama clave– se añade otro transversal que divide en dos a la bóveda de crucería, ésta se llama sexpartita; si además se añaden otros nervios que parten del mismo punto que los diagonales formando con ellos un ángulo agudo (terceletes), la bóveda se llama de terceletes; cuando los nervios secundarios se multiplican dando lugar a claves secundarias en sus intersecciones y a una forma de estrella en planta, estamos ante una bóveda estrellada, y si los nervios parten de un soporte expandiéndose en forma de abanico, la bóveda se llama de abanico (estas dos últimas son características de la etapa más tardía del gótico inglés). La bóveda baída (o vaída) es una bóveda semiesférica cortada por cuatro planos verticales y perpendiculares entre sí. Algunos de estos tipos de bóvedas –como la esquifada, la de paños o la baída– que cubren espacios de planta central se aproximan mucho a la idea de cúpula, que no es otra cosa que una bóveda semiesférica (o que

toma la forma de una porción de esfera), que cubre un espacio de planta cuadrada, octogonal o circular. Cuando cubre un espacio cuadrado, son necesarios ciertos dispositivos constructivos para llevar a cabo la transición a la planta circular de la base de la cúpula, como las trompas (bovedilla en forma de semicono cuyo vértice coincide con el ángulo que forman dos lados del cuadrado y con la parte más ancha hacia arriba, de forma que disponiendo una en cada ángulo del cuadrado éste se transforma en un octógono, sobre el que es posible apoyar la cúpula), o las pechinas (triángulos curvos que transforman el cuadrado de la planta en un círculo). Para dar mayor altura a la cúpula y poder abrir vanos que la iluminen, a veces se levanta un anillo semicircular por debajo del arranque de la cúpula que se llama tambor; del mismo modo, sobre la parte superior de la cúpula puede levantarse un cuerpo más pequeño de forma cilíndrica o poligonal y cubierto por una cúpula más pequeña que se llama linterna. El intradós de una cúpula puede dividirse por medio de nervios, entre los que quedan porciones cóncavas análogas a los gajos de una naranja (cúpula gallonada). Las cúpulas pueden adoptar formas variadas, como las de bulbo típicas de la arquitectura rusa. Dos tipos especiales de cúpulas son las geodas o cúpulas geodésicas (estructura ligera y autoportante de forma ultrasemiesférica constituida por una red de triángulos contrapeados; fue desarrollada y patentada por Buckminster Fuller en la década de 1930) y las cúpulas encamonadas (falsas cúpulas compuestas de un armazón de madera y un revestimiento de yeso para que parezcan construcciones de obra; son características de las iglesias barrocas madrileñas). Aunque no es propiamente una cúpula, el cimborrio (construcción que se eleva a veces sobre el crucero de las iglesias y que consiste en una torre cuadrada u octogonal cubierta a cuatro u ocho aguas) desempeña una función similar. Los nuevos materiales y técnicas constructivas aparecidos con la Revolución Industrial alteran en buena medida esta división tradicional de las cubiertas arquitectónicas; las nuevas estructuras de hierro pueden tomar la forma de bóvedas y cúpulas, pero en realidad funcionan como armaduras metálicas. El Movimiento Moderno*, por su parte, gracias al uso intensivo de estructuras de hormigón armado, hará de la cubierta plana uno de sus elementos más característicos y explotará la posibilidad que este material le ofrece de construir grandes voladizos, rompiendo así con la tradicional asociación de armaduras, bóvedas y cúpulas a la crujía.

cubismo Movimiento artístico desarrollado a partir de las experiencias de dos de los principales artistas de vanguardia* del siglo xx, Pablo Picasso y Georges Braque.

Aunque la relevancia de sus descubrimientos prolongó la influencia del movimiento durante muchos años y afectó a múltiples tendencias y artistas posteriores, los límites cronológicos del cubismo suelen establecerse entre 1907, año en que Picasso pinta *Les demoiselles d'Avignon*, y 1914, momento en que los dos artistas, que durante varios años habían trabajado en estrecho contacto, emprenden trayectorias diferenciadas. La denominación fue acuñada por el crítico Louis Vauxcelles, quien en una reseña de una exposición de Braque publicada en la revista *Gil Blas* en 1908 se refirió a sus obras como «extravagancias cúbicas» (quizá haciéndose eco de un comentario anterior del pintor Henri Matisse). En efecto, las primeras composiciones cubistas (protocubismo: 1907-1909) tienen la apariencia de extrañas fragmentaciones geométricas de figuras, objetos y paisajes; es obvia la influencia de la pintura de Cézanne, aunque el tratamiento volumétrico remite también a las creaciones del arte ibérico y la escultura negra africana. Entre 1910 y 1912 el cubismo alcanza la madurez y entra en su fase «analítica»; Picasso y Braque rompen con la tradicional representación unitaria del espacio y con la coherencia anatómico-volumétrica a través, fundamentalmente, de un complejo «facetado»: la representación de múltiples facetas de un mismo objeto fundidas con elementos del espacio circundante. A partir de

1912, en lo que se conoce como fase «sintética», los dos pintores comienzan a introducir en las composiciones letras y números, arena, fragmentos de hule y trozos de papel y cartón, creando *collages** y *papiers collés*. Las formas encontradas –fragmentos de periódicos, cajetillas de tabaco, cajas de cerillas, papeles pintados o recortes de papeles de colores– se combinan con dibujo y óleo y configuran bodegones, instrumentos musicales o retratos. Frente a la trágica desintegración del periodo analítico, la identidad de lo representado se concibe ahora como un juego o paradoja: los distintos elementos a menudo simulan ser lo que no son (el óleo imita la textura de una plancha de madera, por ejemplo); los colores, introducidos progresivamente en múltiples gamas, no se corresponden con el natural. Numerosos pintores y escultores se hicieron eco de los descubrimientos de Picasso y Braque, aunque pocos comprendieron realmente sus revolucionarias implicaciones. Entre estos últimos figuran Juan Gris, que hizo una importantísima contribución al desarrollo del cubismo sintético, y Fernand Léger, creador de un personal estilo de geometrización maquinal de objetos y figuras. También experimentaron un momentáneo acercamiento al cubismo, desde una perspectiva más intelectual que estilística, los miembros del Grupo de Puteaux o de la Section d'Or (Marcel Duchamp, Jacques Villon, Raymond Duchamp-Villon). Menos lúcidos fueron pintores como Albert Gleizes, Jean Metzinger, coautores del libro *Du Cubisme* (1912), primera e influyente monografía sobre el movimiento, que aplicaron superficialmente la facetación cubista sobre estructuras compositivas tradicionales. La proliferación de exposiciones y el apoyo de críticos (Guillaume Apollinaire publicó en 1913 *Les peintres cubistes: méditations esthétiques*, el principal escrito histórico sobre el cubismo) y marchantes como Daniel-Henri Kahnweiler contribuyeron a extender la influencia del movimiento por toda Europa (sobre todo en Alemania, Checoslovaquia, Rusia e Italia, donde actuó como detonante para la evolución del futurismo*) y Estados Unidos.

D

dadaísmo El movimiento dadá o dadaísmo es la más radical y singular de las tendencias de la vanguardia* artística del primer cuarto del siglo XX. Dadá no se propone renovar o revolucionar el arte de su tiempo, sino acabar con él: quebrar, por medio del absurdo, los mecanismos que el arte ha utilizado tradicionalmente para producir significado; oponer el caos a cualquier tentativa de orden artístico, y hacer saltar por los aires su prestigio social, destruyendo las fronteras que lo separan de la vida. La provocación, el cinismo y la más ácida de las ironías son las notas dominantes de las manifestaciones dadá, que cabe entender más como prácticas de nihilismo artístico que como obras de arte en el sentido común de la expresión. Sus iniciadores fueron un grupo de poetas y artistas de distintas nacionalidades que coincidieron en Zúrich hacia 1915 huyendo de la Primera Guerra Mundial (los alemanes Emil Hennings, Hans Richter y Richard Hülsenbeck; el alsaciano Hans Arp, y los rumanos Tristan Tzara y Marcel Janco, fundamentalmente); su punto de encuentro fue el Cabaret Voltaire, una suerte de café artístico y literario de vanguardia regentado por Hugo Ball, donde se organizaban todo tipo de demostraciones y actos públicos que reunían distintas manifestaciones artísticas con el denominador común del radicalismo y la provocación. El poeta Tzara publica en 1918 un *Manifiesto dadá* que hace de él un personaje de referencia para todo el movimiento, y, una vez terminada la guerra, dadá se extiende a distintas ciudades europeas y americanas, donde se establecen grupos independientes pero conectados entre sí. Tzara se traslada a París en 1920, y allí entra en contacto con los poetas que después fundarán el surrealismo* (Breton, Aragon, Soupault); Arp, Max Ernst y J. Baargeld constituyen el núcleo dadá de Colonia; Hülsenbeck, Georg Grosz, Raoul Hausmann, John Heartfield y W. Herzfelde, entre otros, forman el núcleo de Berlín, cuya actividad artística se tiñe de un intenso activismo político y revolucionario, y los franceses Francis Picabia y Marcel Duchamp llevan el dadaísmo de París a Nueva York, donde ambos, junto a Man Ray, son sus principales protagonistas; otros artistas, como Kurt Schwitters, no se encuadran en ninguno de esos grupos. A principios de los años veinte la identidad dadaísta se va desdibujando, en parte porque algunos de sus protagonistas pasan a identificarse con nuevas corrientes como el surrealismo. Su legado es, sin embargo, fundamental para la vanguardia: géneros como el foto-montaje (*véase* fotografía) o el *ready made* (objeto o conjunto de objetos cotidianos que el artista convierte en una obra de arte al *elegirlos* o *designarlos* como tales, o al establecer sobre ellos alguna intervención; Marcel Duchamp fue el primero y más destacado practicante de este género) son prácticamente inventos dadá, y casi todas las corrientes modernas que han cuestionado la naturaleza convencional del objeto artístico son deudoras del dadaísmo.

dibujo 1. Representación gráfica caracterizada por el predominio de la línea o el trazo frente al color. Aunque los límites entre la pintura* y el dibujo resulten en ocasiones difíciles de precisar, los dibujos son, por lo general, de dimensiones reducidas, y suelen estar realizados sobre ciertos soportes preferentes, como el papel, el papiro o el pergamino (frente a los soportes murales, las tablas o los lienzos de las pinturas), y con materiales específicos (lápiz, tinta, carboncillo o sanguina, frente al temple, el óleo o el acrílico). Un dibujo puede servir de preparación para una pintura, y recibe entonces

el nombre de esbozo, bosquejo o boceto; cuando dicho boceto se realiza a partir de un modelo (es decir, «del natural»), se le denomina apunte, y cuando se elabora al mismo tamaño que la pintura, mosaico, vidriera o tapiz al que sirve de base, se le llama cartón. Algunos dibujos preparatorios se realizan expresamente para calcarlos sobre la superficie que va a ser pintada, mediante un procedimiento denominado estarcido: se traza en el papel una serie de finos orificios siguiendo los contornos dibujados, se coloca el papel sobre la superficie pictórica, y se golpea sobre los orificios con un pequeño saco (denominado «muñequilla») impregnado de carbón u otro pigmento. Todos los dibujos preparatorios se caracterizan por su elaboración rápida y relativamente imprecisa, hasta el punto de que cuando una pintura muestra dichos caracteres se dice de ella que está abocetada o esbozada. Los dibujos, bocetos y cuadernos de apuntes son de gran importancia para estudiar el proceso creativo de un pintor o un escultor, pero también tienen un valor intrínseco que la sensibilidad moderna, con su gusto por lo espontáneo y lo inacabado, ha ensalzado. Fruto en parte de esta revalorización moderna del dibujo es el considerable desarrollo que han adquirido en los siglos xix y xx dos géneros artísticos vinculados al mismo: la caricatura (la representación de un personaje acentuando algunos de sus rasgos físicos con intención satírica) y el *graffitti* (los dibujos, inscripciones o letreros espontáneos realizados en muros, vallas, vagones de ferrocarril y otros lugares públicos).

2. En sentido conceptual más amplio, el dibujo, como derivación de la línea* y por oposición al color*, se ha vinculado tradicionalmente a la vertiente más normativa e intelectual de la actividad artística. En la teoría* renacentista del arte, el dibujo *(disegno)* gozaba de una consideración preferencial frente al color, ya que en él estaban implícitas las ideas o conceptos elevados que debían ser transmitidos por la obra de arte; por el contrario, el color conducía al territorio irracional de las emociones, y había que desconfiar de él. Numerosos artistas y teóricos posteriores asumieron esta discriminación jerárquica, ya que les resultaba de especial utilidad en la lucha por el reconocimiento de su labor frente al mero trabajo material del artesano. Sin embargo, no tardaron en aparecer voces y experiencias discrepantes; ya en el siglo xvi se detecta una disparidad evidente entre las prácticas dibujísticas de la escuela florentina y la importancia concedida al color en la escuela veneciana; en la Francia barroca asistimos a una dura querella entre «los antiguos» (defensores del dibujo) y «los modernos» (defensores del color), así como al debate entre poussinistas (partidarios del dibujo de Poussin) y rubenistas (id. del color de Rubens), transferido en el si-glo xix al enfrentamiento entre los defensores de Ingres y los partidarios de Delacroix. El ulterior desarrollo del arte contemporáneo se encargó de disolver la polémica al liberar al dibujo de las funciones normativas que había adquirido desde el Renacimiento.

diseño 1. Se llama así de modo genérico a la concepción y al proceso que lleva desde ésta a la realización material de una obra de arte, especialmente cuando por su naturaleza, sus dimensiones o su complejidad no es el propio artista quien lleva a cabo su ejecución, sino que depende para ello de otros. En cierto modo, es una simplificación del concepto clásico de *disegno* (*véase* dibujo). En arquitectura, la idea de diseño se identifica en gran medida con la noción de proyecto (*véase* arquitecto).

2. Al menos desde la segunda década del siglo xx, con este término se hace referencia a la aplicación de técnicas y procedimientos propios del arte a la proyectación de objetos de uso para su posterior producción por medios industriales, de ahí que a menudo se identifique con el concepto de diseño industrial. En un principio se vinculó de manera casi exclusiva al mobiliario doméstico y objetos suntuarios tradicionalmente comprendidos en el ámbito de las artes decorativas* o artes aplicadas; el factor que señala la frontera entre éstas y el diseño radicaría en el modo de producción: manufacturas

artesanas, en el caso de las primeras, y productos industriales en el segundo. Sus orígenes se remontan a la Inglaterra industrial de mediados del siglo XIX, donde la iniciativa gubernamental creó las primeras escuelas de diseño y planteó programas formativos ajenos a la tradición de las Bellas Artes con el fin de adaptar los procesos de diseño de los objetos de uso a los requisitos de producción de la industria. Por la misma época, y también en Inglaterra, surgieron las primeras tendencias antiindustriales, que, si bien reivindicaban los beneficios sociales y morales de la artesanía frente a la máquina, coincidían con los partidarios de la industria en la necesidad de renovar y dignificar artísticamente los objetos de uso cotidiano y alejarse de las pautas de imitación naturalista imperantes en las manufacturas tradicionales. Ambas corrientes influirían en los años del cambio de siglo sobre el modernismo* –decantado más bien del lado de la artesanía y la dignificación artística del objeto– y, más tarde, sobre los primeros intentos de artistas y arquitectos por acercarse seriamente al mundo de la industria, como la Deutsche Werkbund, asociación de artistas alemanes fundada en 1907 y cuya actividad se extiende a los años de la República de Weimar.

El concepto moderno de diseño como compromiso de arte e industria se forja definitivamente en los años de entreguerras, estrechamente vinculado a la vanguardia* artística y al Movimiento Moderno* en arquitectura; el lenguaje formal de la abstracción, la concepción de la actividad artística como instrumento de cambio social y del artista como visionario de una utopía vinculada a la máquina son el caldo de cultivo de episodios como el de la Bauhaus en Alemania o la vanguardia revolucionaria rusa, en cuyos proyectos tiene un papel central el cambio radical del entorno de la vida cotidiana y, consiguientemente, de los objetos que lo conforman, tanto en el hogar como en el trabajo.

La veta racional y vanguardista será una de las referencias constantes del diseño posterior a 1945, sobre todo para corrientes como la que representa la Escuela de Ulm, vinculada al desarrollo industrial alemán de los años cincuenta; otras tendencias pondrán el acento en la forma del objeto como instrumento de comunicación, como el *styling* americano de esos mismos años, el diseño de influencia pop* de las décadas de 1960 y 1970 o ciertas corrientes posmodernas imperantes en los años ochenta, como la representada por el grupo Memphis en Milán. En todas ellas el diseñador se ve obligado a conjugar elementos de orden formal y lingüístico, como en las artes plásticas, con requerimientos de tipo funcional, industrial y comercial, lo que hace del diseño una disciplina híbrida cuya relación con el ámbito artístico es compleja, como ocurre también en la arquitectura. Con el tiempo, el diseño ha trascendido el dominio tradicional de las artes decorativas y se ha especializado; entre sus principales variantes pueden destacarse las siguientes: el diseño de mobiliario incluye los muebles domésticos, de oficina y el mobiliario de uso público, tanto el realizado para espacios interiores (estaciones, aeropuertos, establecimientos comerciales) como el mobiliario urbano para la vía pública (bancos, papeleras, marquesinas de autobús, farolas); el diseño de producto comprende aquellos objetos que, más allá de su función, necesitan de una identidad formal característica por razones generalmente comerciales (envases para perfumes y refrescos, pequeños objetos de uso personal de diversa índole); el diseño gráfico se refiere a todo tipo de material impreso (tipografía, rótulos, carteles y folletos publicitarios, libros); el diseño industrial en sentido estricto abarca toda clase de productos de cierta complejidad tecnológica, desde los electrodomésticos a los automóviles o el *hardware* informático; el diseño de moda se ocupa del vestuario y complementos. Algunas especialidades pueden afectar a varios de esos campos a la vez, como el interiorismo (aplicado tanto al ámbito doméstico privado como a espacios públicos y comerciales, que a veces incluye el diseño de piezas específicas de mobiliario), o el diseño de imagen corporativa (diseño de logotipos, emblemas e imágenes identificativas de una empresa o institución que suele ceñirse fundamentalmente al diseño gráfico, pero que a veces incurre también en el diseño de producto).

E

eclecticismo En sentido genérico, es un concepto que hace referencia a la fusión de rasgos estilísticos e influencias tomados de corrientes o maestros diferentes e incluso contrapuestos. En el ámbito de las Bellas Artes (*véase* Academia) ésta era una actitud obligada en la medida en que el arte del presente debía fundamentarse en la lección de los maestros del pasado. Ya en el siglo XX, el término se ha empleado de manera específica para definir una tendencia característica de la arquitectura decimonónica consistente bien en la fusión de rasgos de estilo propios de diferentes épocas en una misma obra, bien en la alternancia de estilos por parte del mismo arquitecto en distintas obras. El eclecticismo arquitectónico es, en buena medida, una respuesta académica y oficialista al desafío planteado por la reivindicación romántica de los estilos medievales, así como una vía para dar cabida dentro de la ortodoxia a la demanda típicamente decimonónica de dotar de rasgos nacionales a la arquitectura de cada país.

egipcio, arte El aislamiento geográfico que garantiza el desierto del Sa-

hara y la fertilidad que proporciona el río Nilo propician el desarrollo de la civilización egipcia durante más de tres mil años. El Egipto dinástico es el estado más duradero de la historia, cuyo curso comienza a finales del IV milenio a.C. (con el Periodo Tinita, 3100-2686) y se prolonga a lo largo del Imperio Antiguo (2686-2181), el Imperio Medio (2040-1786), el Imperio Nuevo (1552-1069), y la Época Saíta y de dominación persa (entre el 663 y la conquista de Egipto por Alejandro Magno en el 332 a.C.), jalonados por tres periodos intermedios de inestabilidad. Durante todos estos siglos, la figura del faraón simboliza la fusión de los poderes político y religioso que rigen una sociedad esclavista y eminentemente agraria, y que tendrán una enorme influencia en el desarrollo artístico. En efecto, las numerosas aportaciones de los egipcios a la historia del arte se encuentran mediatizadas siempre por las necesidades representativas de un poder político despótico, que en todo momento busca impresionar a sus súbditos, y por unas creencias religiosas en las que la vida de ultratumba desempeña un papel fundamental. La arquitectura en piedra será el vehículo básico para la expresión de estas exigencias político-religiosas. Las construcciones funerarias cobran un desarrollo espectacular, con tipologías novedosas como la pirámide o la mastaba. Las pirámides, erigidas fundamentalmente durante el Imperio Antiguo, son colosales tumbas pétreas en las que reposan los restos momificados de los faraones; su forma exterior, compacta y maciza, esconde en el interior un laberinto de pasadizos, escaleras y rampas ideado para obstaculizar en lo posible el acceso a la cámara funeraria. Están integradas en conjuntos funerarios (Saqqara, Meidum, Dahshur, Giza) cuyas diversas dependencias respondían a las necesidades rituales del enterramiento: el cuerpo del faraón era transportado hasta un «templo del valle», donde se procedía a su momificación; después se le trasladaba por una calzada hasta un templo funerario, donde se celebraban diversas ceremonias antes de proceder a su depósito en la tumba piramidal. Antes de la invención de la pirámide, los primeros faraones utilizaron otra forma de enterramiento, la mastaba (del árabe *masatib,* banco), que posteriormente se convertiría en la tumba característica de los altos funcionarios y personajes relevantes. Se trata de una estructura troncopiramidal y planta rectangular en cuyo interior se abren diversas estancias decoradas con relieves y pinturas, entre las que destacan un *serdab* (habitación sin puerta ni ventanas que contiene el ajuar del difunto) y un hipogeo (cámara funeraria subterránea). También en el Imperio Antiguo se construyen los primeros templos no funerarios, concebidos como morada de los dioses, aunque habrá que esperar al Imperio Nuevo (templo de Amón en Karnak; templo de Amón, Mut y Khons en Luxor) para que adquieran una definitiva y completa configuración. Su estructura básica se concibe como una sucesión longitudinal de espacios en los que la iluminación disminuye progresivamente, el techo desciende y el suelo se eleva conforme el visitante avanza. Una avenida de esfinges y obeliscos* conduce a una entrada monumental formada por dos pilonos (estructuras troncopiramidales, con las paredes en talud decoradas con relieves, y rematadas por una moldura en forma de S llamada gola) y varias estatuas colosales. Tras ella se encuentran una gran sala hípetra (sin techumbre) con pórticos columnados laterales y un altar para sacrificios; una sala hipóstila (con diversos tipos de columnas, generalmente derivadas de formas vegetales: lotiformes, papiriformes, palmiformes) destinada a ceremonias sacerdotales; y un santuario final con varias dependencias, entre ellas el *sancta sanctorum* con la estatua del dios. Este esquema general puede presentarse también en templos excavados en la roca (templo de Hator en Abu Simbel). Las características esenciales de la escultura y la pintura se fijan en el Imperio Antiguo y presentan una sorprendente continuidad a lo largo del tiempo. Proliferan las estatuas humanas que sirven de soporte al *ka* o espíritu del difunto en su viaje de ultratumba. Las imágenes se tallan en piedra, madera o marfil y posteriormente se pintan; tanto la talla, que se realiza a partir de cuatro planos básicos (frontal, dorsal y laterales), como la policromía con tintas planas contribuyen a reforzar el carácter irreal, simbólico y hierático de las figuras, que miran siempre al frente, mantienen sus brazos pegados al cuerpo y cierran sus puños. Las principales tipologías escultóricas son las estatuas individuales en pie o sentadas, las parejas familiares (a veces con niños), las tríadas reales y las dobles representaciones del difunto a diferentes edades; en todos los casos, los egipcios adoptan un canon que regulariza las proporciones* de la figura humana. También abundan los sarcófagos antropomórficos, las estatuas-cubo (estatuas votivas propias del Imperio Medio en las que el fiel aparece sentado en el suelo, agarrándose las rodillas y cubierto por un manto del que sólo sobresalen la cabeza y los pies), las maquetas que representan escenas de la vida cotidiana (labores agrícolas, procesiones, barcos) y las representaciones de animales reales o fantásticos. Junto a la escultura exenta también se desarrolla un tipo de bajorrelieve narrativo de gran sutileza y detallismo, generalmente policromado, para decorar el interior de las tumbas; los exteriores también se decoran con relieves, pero éstos suelen estar rehundidos en el muro. Tanto en los bajorrelieves como en las pinturas murales, los hombros y el ojo de las figuras se representan de frente, y el resto de perfil. Las mujeres suelen aparecer vestidas y paradas; los hombres, con taparrabos, caminan. Frecuentemente forman escenas relacionadas con la vida cotidiana del difunto, sus funerales o el viaje de ultratumba.

En la sorprendente continuidad del arte egipcio durante más de tres mil años sólo cabe destacar un episodio de relativa ruptura que los historiadores han identificado con el nombre de arte amarniense. En la XVIII dinastía del Imperio Nuevo, el faraón Amenofis IV (Akhenatón) funda una nueva capital, Tell-el-Amarna, y procede a una reforma monoteísta de la religión, suprimiendo el culto a Osiris y proscribiendo la creencia en la vida de ultratumba. Esta «revolución» abre paso a una cultura de lo inmanente que repercute excepcionalmente en el arte: no se realizan obras arquitectónicas monumentales, y la escultura adopta un estilo mucho más expresivo y naturalista. Salvando este episodio amarniense, habrá que esperar a la conquista griega y la posterior dominación romana para encontrar cambios fundamentales en el arte egipcio. A partir de entonces, tanto la arquitectura como las artes plásticas experimentarán un interesante proceso de hibridación con formas e iconografías clásicas que se prolongará hasta la prohibición oficial de los cultos paganos a finales del siglo IV de nuestra era.

escultura Representación artística en tres dimensiones de un objeto (real o imaginario) o una figura. Frente al carácter eminentemente visual de la pintura, la escultura se asocia con el ámbito de la percepción táctil y, por derivación, con las sensaciones de volumen y peso. Su materialidad real, no ilusoria, y su capacidad de resistencia frente al paso del tiempo (comparativamente mayor que la de la pintura), han hecho de ella un vehículo ideal para la expresión de mensajes religiosos y políticos con pretensión de perdurabilidad; de aquí deriva la tradicional asociación de la escultura con el monumento (es decir, con la obra pública de carácter conmemorativo o funerario) y con la estatua (esto es, con la escultura figurativa de gran tamaño, cuya habitual disposición sobre un pedestal realza sus valores simbólicos y representativos), y, en general, la subordinación de la escultura a la arquitectura, una servidumbre de la que no se liberará por completo hasta que a finales del siglo XIX la obra de Auguste Rodin anuncie la aparición de una escultura contemporánea dotada de plena autonomía.

Las esculturas, ya sean en bulto redondo (es decir, exentas), en relieve (es decir, adheridas a un plano; pueden ser altorrelieves –en los que las figuras sobresalen del plano más de la mitad de su bulto–, mediorrelieves –la mitad– o bajorrelieves –menos de la mitad; una modalidad de bajorrelieve inventada por Donatello es el relieve *schiacciato*, en el que el bulto prácticamente no sobresale del plano–) o en hueco (o huecorrelieve, es decir, rehundidas en el muro), pueden elaborarse mediante dos procedimientos básicos: el modelado y la talla. El modelado es un procedimiento aditivo (es decir, basado en la suma o acumulación de materia), en el que el escultor da forma con la mano o con una espátula a una serie de materiales blandos, sobre todo arcilla o cera. Debido a la fragilidad de las piezas resultantes, el modelado se utiliza básicamente para la elaboración de bocetos, estudios preparatorios y modelos de esculturas en piedra, madera y metal. La talla, también llamada cincelado, es un procedimiento sustractivo (es decir, basado en quitar materia de un bloque informe y duro con un cincel o instrumento similar) que se utiliza para elaborar esculturas en piedra y en madera. Para la talla en piedra se han utilizado muy diversos tipos de rocas sedimentarias (alabastro, travertino), metamórficas (granito) y eruptivas (basalto), aunque la tradición clásica ha consagrado el uso del mármol como material escultórico por antonomasia. Salvo en las culturas preclásicas y en ciertas experiencias contemporáneas (así como en el caso excepcional de la obra escultórica de Miguel Ángel), no es habitual tallar la piedra directamente. Ya en el siglo v a.C. se procedía previamente al sacado de puntos, es decir, a tomar una serie de puntos de referencia en el modelo en arcilla y trasladarlos al bloque de piedra antes de empezar a desbastarlo. Posteriormente, el tallista se servía de cinceles, taladros (entre ellos el trépano, que permitía crear vigorosos efectos de profundidad en los cabellos y las vestiduras) y limas para terminar su trabajo. La talla en madera ha tenido un papel secundario en la tradición clásica debido a los inconvenientes intrínsecos del material (tamaño reducido de los bloques, falta de homogeneidad –nudos, vetas–, problemas de conservación). Generalmente se han utilizado maderas de dureza media (nogal, ciprés, encina, tilo, peral), resistentes a los cambios de temperatura y humedad, o maderas dulces, tiernas pero resinosas y resistentes por tanto a la carcoma (pino, alerce). Las esculturas en madera se han policromado con frecuencia; el proceso de policromía se inicia disponiendo una capa de yeso sobre la madera tallada (enlucido); en algunas vestiduras se aplica pan de oro y se pinta encima, trazando posteriormente diseños con un punzón sobre el color y descubriendo el oro (procedimiento conocido como estofado); las partes correspondientes a la carne se pintan directamente

sobre el yeso (encarnado). Entre las principales tipologías escultóricas en madera figuran los pasos procesionales (representaciones a tamaño natural de Cristo*, la Virgen*, un santo o los protagonistas de algún episodio de la Pasión, que se sacan en procesión en fechas señaladas; a veces están formados por imágenes de vestir, es decir, imágenes en las que la cabeza y las manos, talladas, se montan sobre una peana o armazón cubierto por ropajes reales) y las esculturas integradas en retablos*; unos y otras son muy abundantes en la imaginería religiosa del barroco español. Junto a la piedra y la madera, el tercer material empleado habitualmente en la elaboración de esculturas es el metal. Aunque en ocasiones los escultores modelan láminas metálicas para obtener una representación escultórica (es lo que se conoce como toréutica: las láminas, a menudo calientes para trabajarlas mejor, se modelan en relieve con punzones en la cara interna o martillando la cara externa sobre un molde duro; posteriormente se aplican sobre una estructura de madera u otros materiales, unidas mediante clavos o soldaduras), la mayor parte de las esculturas en metal no son resultado directo del modelado o la talla, sino de la realización de un vaciado, es decir, de una reproducción de una pieza preexistente en otro material previa obtención de un molde de la misma. La fundición de esculturas en un molde se remonta a la Prehistoria. Los moldes más antiguos, de piedra o barro, tenían una sola abertura; posteriormente se adoptaron moldes de dos valvas. A partir del III milenio a.C. se utiliza el método de fundición a la cera perdida: sobre un modelo en cera se construía un molde, con orificios de entrada y de salida; en dicho molde se vertía el metal fundido, que iba derritiendo la cera y ocupando su lugar; el resultado era un vaciado en metal del modelo en cera. Para la fundición de piezas grandes, el interior del modelo en cera se rellenaba de arena, con lo que la pieza resultante quedaba hueca (lo que se traducía en un menor peso y un considerable abaratamiento). El metal más empleado en la fundición de esculturas es el cobre, debido a su abundancia, dureza, maleabilidad, resistencia a los agentes atmosféricos y cualidades de aleación; al conseguirse su fusión a una altísima temperatura y ser poco fluido, suele utilizarse en aleación con el estaño (= bronce), el zinc (= latón) y el plomo. El bronce es la aleación más común; su color varía según el porcentaje de estaño empleado: rojizo si hay menos del 5%, amarillento si hay entre un 5 y un 25%, y plateado si hay más del 25%. Sin embargo, estas coloraciones no se advierten bajo las pátinas verdosas o negruzcas fruto de su contacto con la humedad o el aire. El latón es más resistente a los agentes atmosféricos y más flexible; se caracteriza por su color dorado.

A lo largo de la historia se han realizado también esculturas en muchos otros materiales. Entre ellos destaca el marfil, cuya manipulación con fines artísticos se conoce con el nombre de eboraria; una curiosa variante de escultura en marfil son las estatuas crisoelefantinas, cuyos ropajes estaban realizados en oro. El arte contemporáneo ha abierto un enorme campo de experimentación técnica y material para la escultura, desde el objeto encontrado (*véase* dadaísmo) a las técnicas de producción de la metalurgia industrial, pasando por el empleo de la luz y el recurso al movimiento real en móviles y otras obras cinéticas (*véase* neoconcreto, arte*).

estética Tradicionalmente, se suele definir la estética como «ciencia de lo bello», aunque el objeto del pensamiento estético ha sido desde sus inicios mucho más amplio. La etimología del término (del griego *aiszetiké*, forma femenina del adjetivo *aiszetikós*, propio de los sentidos) resulta reveladora y, de hecho, el nacimiento de la estética como rama del pensamiento filosófico en Grecia guarda estrecha relación con el origen del concepto de arte* como imitación o representación de la naturaleza *(mímesis)*. En la medida en que la estética indaga sobre los mecanismos y la naturaleza de la representación artística, su territorio se confunde con el de la teoría del arte*; como criterio general, podría decirse que los objetivos de la estética suelen ser más genéricos (las actitudes estéticas o modos especiales que tiene el espectador de relacionarse con la obra de arte, pero también con la naturaleza o con objetos que nada tienen que ver con el arte y, sin embargo, son susceptibles de considerarse objetos estéticos), mientras que los de la teoría del arte tienden a ser más específicos, a ocuparse de la naturaleza concreta de la obra pictórica, escultórica o arquitectónica; la categoría de objeto estético, además, no abarca sólo las artes plásticas y la arquitectura, sino también la literatura, el teatro, la danza o la música. El pensamiento estético occidental se inicia con Platón, aunque algunas cuestiones relacionadas con la inspiración artística y poética ya se habían suscitado en los filósofos presocráticos; entre esos antecedentes tiene especial importancia el caso de los pitagóricos que, al detectar la dependencia de los intervalos musicales de las proporciones entre la longitud de las cuerdas pulsadas para obtener sonidos, relacionaron estas proporciones, expresables en términos matemáticos, con las que rigen en el universo material, y atribuyeron a la música cualidades de orden ético y terapéutico, capaces de restablecer la armonía del alma humana. La estética de Platón se centra en el problema de la representación: los distintos oficios *(techné)* pueden producir objetos reales o bien imágenes de otros objetos; estas imáge-

nes son imitaciones o representaciones legítimas cuando tienen las mismas propiedades que su original, pero resultan decepcionantes cuando sólo comparten su apariencia; en todo caso, la imitación está condenada a la imperfección y tiene una condición ambigua (es en parte verdadera y, en parte, falsa), pues una imitación perfecta dejaría de ser una imagen para convertirse en otro ejemplar del original. Para Platón, todas las cosas creadas son de por sí imitaciones de sus formas arquetípicas eternas e ideales, por lo que las imágenes elaboradas por pintores, escultores o poetas son imitaciones de imitaciones, y a menudo de aquellas que sólo comparten la apariencia del original; de este modo, las imágenes artísticas estarían en los niveles más bajos del conocimiento, de ahí los reparos y precauciones que Platón toma siempre respecto a ellas. Por otra parte, Platón reconoce a las artes la capacidad de incorporar en distintos grados la cualidad de la belleza, que se manifiesta en la medida y la proporción. Aunque en el tránsito desde «el amor a la belleza corporal» hasta «la belleza en sí misma» a través de «la belleza de las leyes, las instituciones y las ciencias» Platón no asigna ningún papel a las artes, sus seguidores, y sobre todo Plotino, sí concederán gran importancia a la capacidad que tienen las artes de elevarnos hacia el conocimiento de la belleza ideal (llena de connotaciones morales en la filosofía platónica) a partir de las manifestaciones concretas e imperfectas de la belleza a las que se puede acceder a través de los sentidos; este desarrollo neoplatónico de las ideas estéticas del maestro será uno de los fundamentos principales del sistema de las Bellas Artes del Renacimiento en adelante (*véase* clasicismo y Academia). La aportación de la filosofía clásica a los orígenes del pensamiento estético se completa con la *Poética* de Aristóteles, que, lejos de la prevención platónica frente a la imitación, entiende que ésta es connatural al hombre y fuente de conocimiento; además, Aristóteles distingue entre el placer cognitivo que se obtiene de la representación y el sentimiento o el juicio que nos pueda merecer la cosa representada, distinción inexistente en Platón; sin embargo, la influencia de la *Poética* de Aristóteles en las artes plásticas y la arquitectura es más limitada e indirecta que la de la estética platónica, aunque resulta fundamental para el teatro y la literatura. El pensamiento medieval desatiende un tanto las cuestiones estéticas por la vinculación de la literatura, el teatro y las artes plásticas a la cultura pagana y la prevención frente a la idolatría, pero asume la pintura y la escultura como instrumentos útiles para la devoción; en san Agustín y en santo Tomás de Aquino hay importantes contribuciones al pensamiento estético, incluyendo reflexiones sobre el concepto de lo bello («aquello

que place a la vista» y cumple ciertas condiciones de integridad, perfección y «debida proporción y armonía», según el Aquinate), y otros pensadores (san Buenaventura, Escoto Erígena) sostienen la idea de que todo objeto natural tiene una dimensión simbólica que remite al mundo de lo trascendente, lo que supone un primer paso para una teoría de la interpretación e incluso para una filosofía de la forma simbólica. En el Renacimiento*, la recuperación de los clásicos –y especialmente de Platón y Plotino por parte de Marsilio Ficino en la Florencia del siglo XV– tendrá una influencia notable sobre los primeros teóricos del arte, aunque las posibles conexiones neoplatónicas de Alberti y Leonardo han sido siempre cuestiones controvertidas para los estudiosos. La sistematización de la estética como una rama específica de la filosofía no tendrá lugar hasta el siglo XVIII, cuando A. G. Baumgarten emplee por primera vez el término (1735); Baumgarten define el «conocimiento sensorial» como el dominio propio de la poesía y, por extensión, de las artes. Poco después, G. E. Lessing en su obra *Laokoon oder über die Grenzen der Malerei und Poesie* (*Laoconte o los límites de la pintura y la poesía*, 1765) insistirá por primera vez en la especificidad de cada una de las artes en función de los distintos signos que éstas utilizan para la imitación, quebrando así el discurso de la analogía y unidad de las artes predominante desde el Renacimiento. Durante el siglo XVIII nuevas categorías contribuyeron a plantear desde ángulos diferentes la relación del espectador con la obra de arte, como la imaginación o el gusto (J. Locke, D. Hume, Shaftesbury); estas nuevas aproximaciones tienen en común la búsqueda de criterios filosóficos para fundar el juicio estético, puesto que las viejas equivalencias platónicas entre Belleza y Virtud que sostenían el sistema de las Bellas Artes empiezan a disolverse en la época de la Ilustración y el Romanticismo*. Paradójicamente, la exaltación del individualismo y la subjetividad románticos traen consigo un importante incremento de la reflexión estética y una multiplicación de sus categorías, que relativizan y matizan la tradicional y homogénea de belleza (lo pintoresco, lo sublime). De este modo, I. Kant, cuya estética se concentra en su *Crítica del juicio* (1790), sostiene, entre otras cosas, la compatibilidad del carácter subjetivo del juicio estético con su validez universal, y pone los fundamentos de la estética moderna; F. W. von Schelling puso el arte en el centro de su *Sistema del idealismo trascendental* (1800) como medio de superación de las contradicciones entre el yo y la naturaleza, y G. F. Hegel –que sistematizó su estética en su obra *Filosofía del arte* (1835)– reflexionó sobre la encarnación de la idea en la forma sensible como rasgo distintivo del arte. Las orientaciones de la estética se multiplican en los siglos XIX y XX (hay desarrollos estéticos vinculados prácticamente a todas las grandes corrientes del pensamiento contemporáneo, desde la metafísica y el naturalismo al marxismo, la fenomenología o la semiótica), y las fronteras con otras disciplinas afines (teoría, historiografía* y crítica del arte) siguen siendo a menudo difusas.

estilo Se llama así al conjunto de rasgos formales cuya aparición constante y combinada se considera característica de la obra de un artista, una escuela artística o un periodo determinado de la historia del arte (los griegos llamaban *stŷlos* –y los romanos *stilus*– al punzón que utilizaban para escribir sobre tablillas enceradas, cuyo manejo particular por cada escribano daba lugar a una caligrafía característica). Cuando la Historia del Arte empieza a consolidarse como disciplina académica a mediados del siglo XIX, los criterios de estilo son los que priman a la hora de acotar periodos sobre los que construir el discurso historiográfico, tanto en los enfoques atribucionistas y filológicos como en los formalistas (*véase* historiografía del arte). Aunque la historiografía actual ya no se centra exclusivamente en esos criterios, el concepto de estilo sigue siendo un instrumento metodológico imprescindible. El historiador francés Henri Focillon, uno de los más destacados representantes del formalismo, distinguió en su obra *La vie des formes* (*La vida de las formas,* 1943) cuatro momentos o etapas que caracterizarían la evolución de todos los grandes estilos artísticos del pasado: la fase experimental o formativa, la de madurez o clásica, la de refinamiento, y la barroca o de decadencia. La concepción evolucionista que subyace a esta clasificación está hoy muy cuestionada, pero su uso ha pervivido en la periodización de las grandes épocas artísticas para las que es posible mantener una cierta homogeneidad de estilo; ésa es la razón por la que hablamos aún de «gótico clásico» o «periodo clásico» del arte maya, por ejemplo.

etrusco, arte Asentados originalmente entre el Tíber y el Arno, los etruscos extendieron su dominio por buena parte de la mitad occidental de Italia en el siglo VI a.C., momento en el que la propia Roma estuvo gobernada por reyes etruscos. Su arte se desarrolla entre los siglos VII y III a.C. y, junto con el arte griego, es el fundamento principal del posterior arte romano*, aunque la influencia griega tiene ya una presencia decisiva en el arte etrusco desde sus inicios. En arquitectura destacan las tumbas principescas y los templos; las primeras, bien cámaras subterráneas (hipogeos) excavadas en la roca o bien construidas con falsa bóveda (*véase* cubiertas arquitectónicas), vienen a reproducir la estructura de una casa, a la que se accede por un túmulo exterior que se eleva a poca altura sobre el terreno y a veces se alinea con otros vecinos formando verdaderas calles, como en las llamadas «tumbas a dado» de la necrópolis de Caere (h. 500 a.C.); están decoradas con ricos ajuares mobiliarios y pinturas murales cuyo lenguaje e iconografía deriva casi siempre de la cerámica griega. Mientras las tumbas se construyen en piedra, los templos se hacen de madera, terracota y materiales pobres; de configuración similar al griego pero de proporciones y concepción bien distintas, el templo etrusco se levanta sobre un podio al que se accede por una escalera frontal; su enorme cubierta a dos aguas sin frontón se remata con esculturas decorativas en los aleros y en la viga principal o *columen,* y se sostiene por columnas de orden toscano (*véase* órdenes arquitectónicos) que rodean una nave diáfana, sin divisiones interiores. Los etruscos también realizaron notables fortificaciones y obras de ingeniería civil, pero es en la escultura donde se encuentra su mayor legado artístico. Su faceta más característica y autóctona es el retrato funerario –fundamental después en Roma–, cuyas primeras manifestaciones son los canopos de Chiusi (urnas cinerarias del siglo VI rematadas por rígidas y hieráticas cabezas), y su culminación los sarcófagos polícromos de finales de ese siglo, con las características figuras recostadas de facciones esquemáticas y esa mueca tipificada que se conoce como «sonrisa etrusca» (*Sarcófagos de los esposos de Caere,* h. 520); los retratos funerarios posteriores se acercan más al realismo característico del retrato romano. La escultura religiosa tiene mayor dependencia de los modelos griegos, pues los etruscos asimilan incluso sus dioses; la influencia griega está en el origen del peculiar estilo de Vulca de Veyes –único artista etrusco cuyo nombre conocemos y al que se atribuye el famoso *Apolo de Veyes* (h. 500)–, esa expresividad hierática y descriptiva que se encuentra también en obras posteriores, como la *Loba capitolina* (h. 470) o la *Quimera de Arezzo* (h. 370).

expresionismo Con cierta frecuencia este concepto se utiliza de manera demasiado genérica haciendo referencia a la acentuación por parte del artista de los rasgos expresivos de una obra de arte. Según ese criterio, cualquier obra en la que se observen distorsiones o deformaciones expresivas, o donde las figuras adopten actitudes patéticas y emotivas sería susceptible de ser calificada de expresionista, independientemente de su época y contexto cultural; incluso sería legítimo entender el expresionismo como una categoría artística presente en toda la historia del arte. Este uso resulta poco riguroso, puesto que las distorsiones expresivas en el arte propiamente llamado expresionista tienen un fundamento histórico preciso; es recomendable, por tanto, restringir lo más posible ese sentido genérico e intemporal, que a menudo –como ocurre con el uso análogo de conceptos como realismo*– sólo genera confusión. Entendido como tendencia artística concreta, el expresionismo es la corriente dominante en el arte moderno alemán entre 1910 y 1930; su medio habitual es la pintura, y su rasgo principal, la asunción por parte de los artistas de una actitud que concibe la obra –en palabras de Peter Selz– como «una proyección visual de su experiencia emocional». Como esta experiencia reviste a menudo rasgos conflictivos, muchos expresionistas recurren a extremar los recursos expresivos, mostrando su preferencia por las líneas quebradas, los colores saturados utilizados de forma arbitraria y antinaturalista y la configuración de imágenes agitadas, convulsas o desasosegantes. El término lo empieza a usar la crítica alemana hacia 1911 por oposición a impresionismo* y realismo*, es decir, para poner de relieve la vocación de los nuevos artistas alemanes de expresar en su obra un mundo interior de orden espiritual frente al concepto de representación naturalista implícito en el realismo y el impresionismo franceses. La raigambre romántica de esta actitud es evidente –Alemania es uno de los centros inspiradores del Romanticismo* desde fechas muy tempranas–, así como su inserción en la tradición artística alemana, en la que los expresionistas se miran a menudo (las xilografías de los siglos XV y XVI, la pintura de Grünewald). Pese a todo ello, el expresionismo es un fenómeno artístico plural, y su adscripción fundamentalmente alemana no impide sus conexiones con otros países del centro y norte de Europa, ni la influencia decisiva en su origen y desarrollo de otros movimientos del arte moderno europeo. Con la fundación en Dresde, en 1905, del grupo Brücke (alemán: «Puente», nombre que hace referencia al deseo de sus integrantes de prefigurar el arte del futuro) se constituye una primera tendencia expresionista que parte de la influencia de pintores franceses o asentados en Francia, como Gauguin, Van Gogh y, sobre todo, los pintores fauves*; sus integrantes (Ernst Ludwig Kirchner, Karl Schmidt-Rottluff, Erick Heckel, Emil Nolde, Max Pechstein, Otto Müller) practican una pintura figurativa que utiliza de forma vehemente el color arbitrario, tanto en paisajes de aliento romántico como en angustiadas escenas urbanas que muestran el malestar generalizado de estos artistas respecto a la sociedad de su tiempo; merece destacarse la intensidad de sus xilografías, especialmente las de Kirchner, el más importante del grupo. Der Blaue Reiter (El Jinete Azul), el otro grupo organizado de la escena expresionista alemana, se forma en Múnich en 1911 (dos años antes de la diso-

lución de Brücke) y da título a un célebre almanaque publicado al año siguiente por el pintor ruso Wassily Kandinsky y por el alemán Franz Marc; además de ellos, también formaron parte del grupo August Macke y, de manera más difusa, Paul Klee. Los artistas de Der Blaue Reiter realizan una obra mucho más heterogénea y menos convulsa que los de Brücke, aunque tienen también una influencia notable del color arbitrario de los fauves; en las dos exposiciones conjuntas que celebraron antes de su disolución con la Primera Guerra Mundial participaron grandes artistas de las incipientes vanguardias francesa y rusa (Braque, Picasso, Derain, Goncharova), y en sus años de pertenencia al grupo, Kandinsky –su principal animador– realizó los primeros cuadros abstractos (véase abstracción y abstracto, arte). Otros pintores independientes, como el noruego Edvard Munch y el austriaco Oskar Kokoschka, completan el panorama del expresionismo. El calificativo de expresionista se aplica también a una tendencia de la arquitectura alemana y holandesa muy en boga en los años inmediatamente anteriores y posteriores a la Primera Guerra Mundial que, aunque vinculada al Movimiento Moderno*, se singulariza por su gusto por las formas curvas como expresión de individualidad artística; no obstante, los arquitectos alemanes (Erick Mendelsohn, la obra de Bruno Taut en esos años, Hans Scharoun) y holandeses (Michel de

Klerk y los integrantes de la Escuela de Amsterdam o grupo de Wendingen) así llamados no tienen especial conexión entre sí ni con la pintura expresionista alemana.

Extremo Oriente, arte del Bajo esta denominación se engloban tradicionalmente las manifestaciones artísticas desarrolladas en el subcontinente indio y Asia oriental, y generalmente estudiadas en tres ámbitos geográficos diferenciados: India y su área histórica de expansión cultural (el Himalaya, Sri Lanka, Indochina e Indonesia), China, y Japón.

La andadura del arte indio se inicia tras la unificación del territorio peninsular durante el Imperio Maurya (322-185 a.C.); en esa época, la expansión del budismo determina la creación de una importante tipología arquitectónica, la *stupa,* monumento funerario de peregrinación que señala el lugar de enterramiento de las reliquias o cenizas de algún santo budista; se trata de una construcción generalmente maciza –es decir, sin espacio interior– y rematada por una cúpula hemisférica. La creación de las primeras imágenes escultóricas de Buda o los *bodhisattvas* (personificaciones de cualidades budistas) tiene lugar en el siglo II d.C., e irá seguida del desarrollo de distintas escuelas escultóricas (Matura, Amaravati, Gandhara; esta última, denominada greco-búdica, con clara influencia del arte clásico occidental). Durante el Imperio Gupta (320-530), India alcanza su máximo esplendor cultural; los gupta sientan las bases para el restablecimiento de las creencias clásicas hinduistas, pero al mismo tiempo facilitan la expansión del budismo en áreas geográficas limítrofes; la persistencia del budismo se refleja en la construcción de conjuntos de templos rupestres (Ajanta) cuyos interiores se decoran con numerosas pinturas, o en la difusión de una nueva tipología escultórica de Buda predicando. La progresiva expansión del hinduismo tendrá su reflejo a partir del siglo VIII en la construcción de grandes templos (*nagaras*) con exuberantes decoraciones escultóricas en las que se plasman diversas manifestaciones individualizadas del dios Brahma (Vishnu, Shiva, etc.). La influencia hinduista persiste hasta la dominación islámica, consolidada a finales del siglo XI; a partir de entonces, el arte indio se caracterizará por la progresiva hibridación con formas y tipologías islámicas*; cabe destacar el gran desarrollo del género de la miniatura, que alcanza su máximo esplendor en la miniatura mogola de los siglos XVII y XVIII.

La originalidad del arte chino reside en la valoración otorgada a lo largo de su historia a ciertas disciplinas artísticas consideradas menores en la tradición occidental, como el trabajo del jade y el bronce, la cerámica y la laca, o el arte del pincel (que engloba la caligrafía, la pintura y la poesía); la escultura y la arquitectu-

ra (una de cuyas principales tipologías es la pagoda, una torre dividida
en varios pisos por cornisas o balco-
nadas, y cuyo origen se remonta a la
stupa india) tienen una consideración puramente funcional y derivan
generalmente de tradiciones foráne-
as). Las primeras manifestaciones
artísticas chinas tienen lugar durante las dinastías Xia, Shang y Zhou
(2205-221 a.C.) y se concretan en la
producción de objetos de cerámica,
jade y bronce. Durante la fugaz dinastía Qin (221-206 a.C.), el emperador Qinshi Huangdi impulsará
la creación de dos de los grandes
hitos del arte chino, la Gran Muralla
(con una extensión total de unos
6.000 km) y el Mausoleo Imperial de
Xian, descubierto en 1974 y formado
por centenares de figuras de guerre-
ros en terracota. En la dinastía Han
(206 a.C.-220 d.C.) y en el posterior periodo de las Seis Dinastías
(220-590) se desarrollarán las técnicas del trabajo de la seda y la laca, y
se sentarán las bases de la pintura
sobre papel (retratos e historias co-
tidianas de la corte en rollos horizontales). La expansión del budismo afecta directamente a los logros
artísticos de las dinastías Tang (618-
907) y Song (960-1280); en la pintura se advierte la preponderancia
del paisaje (con la adopción del ro-
llo vertical) frente a las representaciones humanas y una progresiva diversificación de tendencias. Al
periodo Tang corresponde otra aportación fundamental del arte chino,
el descubrimiento del caolín y su

aplicación en la elaboración de porcelanas. El arte de la porcelana lle-
gará a su culminación durante las
dinastías Yuan (1260-1368) y, sobre todo, Ming (1368-1644). También de época Ming data la construcción del más célebre complejo
arquitectónico chino, la Ciudad
Prohibida de Pekín. Durante la dinastía Quing (1644-1911), por último, se experimentó una progresiva
decadencia artística.
Los principales desarrollos del arte
japonés tienen lugar tras la introducción del budismo procedente de
China en el siglo VI de nuestra era;
durante los periodos históricos de
Asuka (552-645), Nara (645-794) y
Heian (794-1185), los japoneses
manifestarán una clara influencia
del arte chino en sus creaciones artísticas. Rasgos más personales se
advierten en los periodos Kamakura
(1185-1338) y Muromachi (1392-
1573); durante esta época, el arte
recibirá la influencia del budismo
zen, gestándose un original estilo
pictórico basado en la representación simplificada de motivos naturales (el estilo *sumi-e* de paisajes mo-
nocromos), y nuevas tipologías
arquitectónicas como los jardines
zen (verdaderos microcosmos naturales) o los pabellones del té. Durante el breve periodo Monoyama
(1573-1603) se levantaron grandes
castillos y se extendió la suntuosi-
dad decorativa en objetos, biombos
lacados y pinturas. En el periodo To-
kugawa o Edo (1603-1868), la aparición de una incipiente burguesía

impulsó el desarrollo de las técnicas de estampación xilográfica; las estampas japonesas de Utamaro, Hokusai o Hiroshige (*Ukiyo-e*, «estampas del mundo que fluye») alcanzaron cierta difusión en Occidente e influyeron en algunos pintores vinculados al postimpresionismo*.

F

fauves Este grupo de pintores franceses de principios del siglo XX tuvo, pese a su efímera existencia, una gran influencia en el arte europeo de su tiempo. En 1905, Henri Matisse, André Derain, Albert Marquet, Georges Rouault y Maurice Vlaminck, entre otros, expusieron su obra conjuntamente en una misma sala del Salon d'Automne parisino; ante el espectáculo de sus cuadros restallantes de color rodeando a un busto clasicista situado en el centro de la sala, el crítico Louis Vauxcelles exclamó: «*Donatello au milieu des fauves!*» («Donatello en medio de las fieras»), y el nombre enseguida hizo fortuna. En efecto, el rasgo característico de los fauves –y casi el único punto de su programa común como grupo– es el uso arbitrario y expresivo del color en el cuadro, es decir, sin pretensión de establecer correspondencias naturalistas entre el color local de los objetos y el que cobran en sus representaciones pictóricas. Para los fauves, el color es el elemento constitutivo de la pintura, que todavía conciben como un instrumento para la representación de la naturaleza; sin embargo, el orden del cuadro es autónomo respecto al orden de la naturaleza, y el artista lo construye de acuerdo a criterios subjetivos a partir de las armonías de color, eligiendo siempre los tonos vivos y saturados que más claramente se separan de la representación naturalista. Estos planteamientos ya están más o menos explícitos en la pintura de Gauguin, Van Gogh y otros pintores postimpresionistas* de los que los fauves se consideran herederos; esa raigambre queda de manifiesto en las conexiones con el divisionismo que se advierten en la obra anterior a 1905 de Matisse y Derain, por ejemplo. El lenguaje pictórico de los fauves, basado en el color arbitrario e intenso, tuvo un extraordinario eco, y constituye el punto de partida indiscutible de la pintura expresionista* alemana. Se les suele considerar el primer brote de la vanguardia* en Francia, si bien su proyecto artístico carece de la ambición de transformación social y vital que animaba a ésta; no por ello dejan de ser un episodio fundamental en la génesis de la pintura moderna. Tras volver a exponer juntos en el Salon des Indépendants de 1906, la trayectoria de los fauves como grupo se diluye y cada uno sigue su propio camino; la difusión del cubismo* durante la siguiente década contribuirá también a relegarlos a un relativo segundo plano en las fases inmediatas de construcción de la vanguardia, aunque Matisse –el más importante de todos, y cuyo ascendiente sobre el resto ninguno discutía– nunca ha dejado de ser considerado uno de los más grandes pintores de todo el siglo xx.

fotografía Procedimiento artístico basado en la fijación físico-química de una imagen en el interior de una cámara oscura. Mucho antes de su descubrimiento a principios del siglo xix, diversos pintores se habían servido de la cámara oscura (un mecanismo basado en la proyección invertida de una imagen a través de un agujero en el interior de una caja) para reproducir a la perfección las variaciones tonales de los objetos y los paisajes. En 1816, el litógrafo francés Joseph-Nicéphore Niepce tuvo la idea de aplicar las proyecciones de dicha cámara sobre un papel tratado con cloruro de plata y fijarlas con ácido nítrico; sus experimentos culminaron en 1826 con la creación de la fotografía más antigua que se conoce, *Vista desde la ventana de la finca del Gras*. El procedimiento fue perfeccionado por Louis-Jacques Mandé Daguerre, quien inventó el daguerrotipo, una impresión fotográfica sobre placas de metal con un baño de yodo; casi paralelamente, el inglés William Henry Fox Talbot inventó el calotipo o fotografía sobre papel bañado en una solución de ni-

trato de plata (lo que abarató considerablemente el proceso), y el negativo fotográfico, que permitía una reproducción ilimitada de la misma imagen. A finales de siglo, el perfeccionamiento de los sistemas fotográficos (con la creación de la fotografía instantánea y del carrete de celuloide) posibilitó que fotógrafos como Eadweard Muybridge y Étienne-Louis Marey investigaran la captación fotográfica de sucesivas fases del movimiento, abriendo paso a la futura creación del cinematógrafo; paralelamente se desarrollaron diversas tentativas de representación fotográfica de la tercera dimensión, que culminaron ya bien entrado el siglo xx con la invención de la holografía, un procedimiento con el que se logra una ilusión de tridimensionalidad total y que incluso permite al espectador desplazarse en torno a la figura representada, como si se tratara de un fantasma.

Aunque ya nadie discute la artisticidad de la fotografía, los fotógrafos tuvieron que luchar durante mucho tiempo por el reconocimiento social de su trabajo, despreciado por los pintores (aunque muchos de ellos se interesaran secretamente en la nueva técnica y utilizaran fotografías como modelos para sus pinturas) y, sobre todo, por los grabadores (algunos de los cuales se convirtieron en coloreadores o retocadores de fotos). El empleo de numerosas técnicas fotográficas por parte de los artistas de vanguardia durante el siglo xx (como la rayografía, u obtención de imágenes fotográficas situando objetos directamente sobre papel sensible y exponiéndolos a la luz, sin cámara; o el fotomontaje, composición a partir de fragmentos de diversas fotografías) permitió romper las fronteras entre las artes plásticas y la fotografía.

futurismo Este movimiento, surgido en Italia en 1909, es el primero de los grupos de la vanguardia* organizada que dominarán la escena artística del periodo de entreguerras. En su origen es un movimiento literario inspirado por el poeta Giuseppe Tommaso Marinetti, autor del primer *Manifiesto futurista,* que se publicó en 1909 en París; pero al año siguiente se publicaron tres manifiestos más, entre ellos el *Manifiesto técnico de la pintura futurista,* y el movimiento contaba ya con la participación de pintores como Umberto Boccioni (también escultor y principal responsable del *Manifiesto técnico de la escultura futurista),* Giacomo Balla, Carlo Carrà o Luigi Russolo (más destacado como músico que como pintor). El programa visionario y radical del futurismo propone la sustitución del concepto tradicional de belleza por otro derivado de la máquina y sus atributos (el dinamismo, la velocidad); éste incluye la ruptura total con el arte del pasado y la destrucción de los museos, entre otras medidas enunciadas por Marinetti y sus compañeros en el estilo exaltado y vibrante de los múltiples manifiestos futuristas. Fascinados por la juventud, la máquina y la violencia, muchos futuristas participaron en la Primera Guerra Mundial (en la que murió Boccioni) y, después de la misma, abrazaron la causa fascista. La pintura futurista se interesa sobre todo por la representación del movimiento y el dinamismo, para lo cual utiliza un lenguaje derivado en buena parte de la descomposición del objeto pictórico en planos facetados característica del cubismo*. En 1914 se suman al movimiento un grupo de jóvenes arquitectos que habían participado en Milán en una exposición titulada Nuove Tendenze, en cuyo catálogo apareció un texto luego publicado, en una nueva versión, con el título de *Manifiesto de la arquitectura futurista;* su principal exponente es Antonio Sant'Elia (muerto también en la guerra), cuyos dibujos materializan la utopía futurista de una ciudad basada en la máquina, la utilización de nuevos materiales y los volúmenes monumentales, que influirá después en Le Corbusier y la arquitectura moderna italiana. El futurismo tuvo un considerable eco en la escena vanguardista europea de la época, especialmente en la Rusia prerrevolucionaria, donde surgió un movimiento cubofuturista, en el que participaron Kasimir Malévich, Natalia Goncharova o el poeta Jlebnikov. También guarda estrecha relación con el futurismo el vorticismo británico, protagonizado por el poeta Ezra Pound, el pintor Wyndham Lewis y el escultor Henri Gaudier-Brzeska entre 1913 y 1914.

G

gótico, arte Actualmente, bajo esta denominación se engloba casi todo el arte y la arquitectura cristianos de la Baja Edad Media, desde mediados del siglo XII hasta finales del XV, con prolongaciones hasta el XVI en algunos países. En este sentido, se entiende como la cultura artística propia de una época caracterizada por el desplazamiento del poder y la actividad económica y social hacia las ciudades, con la consiguiente pérdida de importancia de las abadías rurales, que habían desempeñado un papel central en la génesis, desarrollo y difusión del arte románico*. El gótico es, por tanto, un arte fundamentalmente urbano, patrocinado o auspiciado por los reyes, la flamante burguesía comercial de las ciudades, y los gremios y cofradías de los distintos oficios que empiezan entonces a consolidarse en ellas. Todos estos elementos sociales contribuyen a la financiación o se implican de algún modo en la construcción y amueblamiento de la catedral, manifestación por antonomasia del arte gótico y máximo exponente religioso, social, económico y cultural de la ciudad bajomedieval. Pero el gótico, y en especial la arquitectura, puede entenderse también en términos estilísticos. En este otro sentido, más tradicional, llamamos así a la arquitectura cuya forma es el resultado de la aplicación de un sistema constructivo que combina el uso del arco* apuntado u ojival con la bóveda de crucería (*véase* cubiertas arquitectónicas) y los arbotantes, que conducen el empuje lateral de las bóvedas hacia apeos exteriores. Con este sistema se consigue, por una parte, obtener edificios mucho más altos que los románicos y mucho más extensos, puesto que las bóvedas de crucería definen espacios o tramos autónomos de planta cuadrada o rectangular que, en teoría, pueden multiplicarse indefinidamente. Por otra parte, al concentrarse los esfuerzos en los pilares y apeos exteriores que corresponden a cada tramo, el muro se libera en gran medida de funciones portantes, con lo que es posible abrir grandes vanos* que se cierran con vidrieras coloreadas (*véase* artes decorativas). La combinación de todos estos elementos formales se da por primera vez en la cabecera que manda erigir el abad

Suger en la abadía de SaintDenis, cerca de París (1140-1144), y se consolida durante la segunda mitad del siglo XII y a lo largo del XIII en las catedrales construidas en la Île-de-France, una región al noroeste de Francia que incluye a París y constituye el núcleo del dominio real de los reyes de la dinastía Capeto. Esos modelos franceses (a esta arquitectura se la llamó en la época *opus francigenum)* se extendieron desde el comienzo del siglo XIII por la Península Ibérica, Inglaterra y Europa central. En el desarrollo del estilo se suelen distinguir cuatro etapas: el *protogótico* o etapa preclásica, a la que corresponden las primeras grandes catedrales francesas de la segunda mitad del siglo XII, como Sens (comenzada h. 1140), Noyon (1150), Laon (h. 1160) o París (1163); la etapa clásica, que se desarrolla a lo largo del siglo XIII en las catedrales de Chartres (1195-1220), Bourges (comenzada el mismo año), Reims (en 1211), Amiens (en 1220) y Beauvais (en 1247), que proveen los modelos para la expansión del estilo fuera de la Île-de-France; el gótico radiante, caracterizado por la conversión de la mayor parte del muro en vanos cubiertos por vidrieras y cuyo prototipo sería la iglesia alta de la Sainte Chapelle de París (1241-1248); y el gótico tardío o flamígero, desarrollado a finales del siglo XIV y a lo largo del XV, y en el que los modelos se multiplican y diversifican, dando en general mayor

protagonismo a los elementos decorativos e incorporando recursos formales nuevos, como el arco carpanel, el conopial o las derivaciones de la bóveda de crucería original (bóvedas de terceletes, de abanico, etc.). Esas etapas suelen trasladarse con más o menos variantes al desarrollo de la arquitectura gótica fuera de Francia, aunque para Inglaterra, que pese a los vínculos con lo francés sigue una trayectoria independiente, se han definido tres momentos estilísticos distintos: el Early English o primer gótico, el Decorated Style o gótico curvilinear y el Perpendicular Style o gótico perpendicular. La arquitectura gótica entendida como estilo genera un sistema arquitectónico propio, que no debe prácticamente nada a la herencia de la Antigüedad, presente en mayor o menor medida en los anteriores estilos medievales; de hecho, la denominación de gótico se emplea por primera vez en la Italia renacentista como sinónimo de arte «bárbaro», es decir, ajeno al lenguaje y al sentido de la proporción propio de la tradición clásica, y se identifica con la *maniera moderna* o conjunto de usos artísticos dominantes contra los que, a principios del siglo XV, surge el Renacimiento* en Italia. La ruptura con la idea de muro portante y el protagonismo de las vidrieras dan una nueva dimensión al simbolismo del espacio sagrado y a la identificación de la iglesia* con la Jerusalén Celeste, puesto que la luz coloreada que dejan pasar se concibe como trasunto de la luz divina, tal como lo formuló el abad Suger en sus textos a propósito de la reforma de Saint-Denis. Sin embargo, este enfoque estilístico no resulta satisfactorio para explicar la arquitectura gótica italiana, donde la influencia de los modelos franceses es muy limitada y la presencia de la arquitectura civil mucho mayor que en el resto de Europa.

Tampoco las artes figurativas góticas se ciñen a un único sistema estilístico o formal de forma tan clara como la arquitectura. En la escultura es donde se encuentra mayor homogeneidad, puesto que buena parte de ella se asocia, como en el románico, a la arquitectura religiosa, y los modelos iconográficos y formales se difunden a partir de los franceses al mismo tiempo (a partir del comienzo del siglo XIII) y por las mismas vías que los arquitectónicos. En general, la escultura gótica presenta mayor independencia frente al marco arquitectónico que la románica, y el naturalismo y la expresividad de sus representaciones contrastan con el rígido hieratismo románico. La escultura abandona los claustros, en consonancia con la pérdida de importancia del monacato, y se centra en las portadas, retablos e imágenes devocionales. Desde el punto de vista iconográfico, se siguen desarrollando temas que ya existían en la escultura anterior y aparecen otros nuevos, especialmente los de carácter maria-no, puesto que la religiosidad bajomedieval da singular importancia a la capacidad intercesora de la Virgen* y los santos. Una vez más, Italia presenta un panorama diferenciado y ajeno a la influencia francesa; los modelos clásicos están muy presentes en la obra de Nicola y Giovanni Pisano o Arnolfo di Cambio.

La pintura presenta un panorama más diverso, puesto que no hay referencias francesas que constituyan modelos exportables. Se abandona la pintura mural por la pintura sobre tabla y, como en la escultura, la representación tiende a hacerse más naturalista. La imagen de la pintura gótica tiene un sentido predominantemente devocional y en los temas es frecuente encontrar citas contemporáneas en la indumentaria de los personajes y los fondos arquitectónicos. A finales del siglo XIII y principios del XIV se desarrolla un foco de gran importancia en Italia, donde destacan la escuela toscana, encabezada por Cimabue y Giotto, y la sienesa, representada por Duccio, Simone Martini y Ambrogio Lorenzetti. La influencia italiana se deja sentir en el sur de Francia y, muy especialmente, en los estados de la corona de Aragón. En estos mismos años se da en muchos lugares de Europa una pintura de gusto decorativo y curvilíneo a la que se engloba bajo la denominación de gótico internacional, y que también se extiende a la miniatura. Por fin, en el siglo XV florece una extraordinaria escuela pictórica en los Países Bajos a la que, por la importancia singular en su ámbito del condado de Flandes, se suele llamar flamenca; Robert Campin y los hermanos Van Eyck desarrollan las técnicas de representación ilusoria de espacios tridimensionales tanto o más que los pintores italianos del *quattrocento,* por lo que a menudo se les estudia en el contexto de la pintura renacentista; su influencia se extiende por la Península Ibérica, Alemania e incluso Italia.

grabado Procedimiento para obtener estampas a partir de una plancha o matriz sobre la que tiene lugar el trabajo directo del artista; el diseño elaborado en la plancha, entintado a mano, con un tampón o con un rodillo, se estampa sobre un papel mediante una prensa vertical o un tórculo (un tipo de prensa formada por dos cilindros macizos a través de los cuales se hace pasar la plancha y el papel). Aunque las técnicas de grabado empiezan a difundirse en el Renacimiento y las estampas cumplen a partir de entonces un papel fundamental en la propagación de modelos iconográficos y estilísticos, es a finales del siglo XVIII y durante el XIX cuando provocan una completa revolución en la cultura visual, al permitir la reproducción casi ilimitada de una misma imagen en revistas y periódicos ilustrados. En la actualidad, sin embargo, el grabado ha sido desplazado por otros medios de reproducción de imágenes y, paradójicamente, se ha convertido en un género plenamente identificado con la tradicional idea de obra única: los grabadores singularizan sus estampas numerándolas y restringiendo los ejemplares de una tirada, y experimentan con técnicas mixtas grabado-pintura-iluminación.

Según el material de que está hecha la plancha o matriz pueden distinguirse tres tipos fundamentales de grabado: xilografía, calcografía y litografía. La xilografía o grabado en madera tuvo su origen en el siglo XIV; se trata de un grabado «en relieve»: las partes que no están talladas y quedan al nivel original de la superficie reciben la tinta y originan en la estampa los negros, mientras que las partes talladas corresponden en la estampa a los blancos. Puede ser «a la fibra» o «al hilo» (plancha cortada en el sentido de las fibras de la madera) o «a contrafibra» o «a la testa» (perpendicular a las fibras; más perfecta). La calcografía o grabado en plancha metálica –generalmente cobre– comienza a difundirse a finales del siglo XV; se conoce también como grabado en hueco: la tinta se introduce en los huecos que corresponden en la estampa a los negros y desaparece en las partes no grabadas. La incisión del artista sobre la plancha metálica puede ser directa o dependiente de procesos mecánico-químicos; la incisión directa puede realizarse con un buril (instrumento de acero de sección prismática; la técnica se conoce como talla dulce), una punta seca (id. de sección circular, en forma de aguja) o un graneador (raspador de varias puntas con el que se incide uniformemente sobre la plancha, bruñiéndose posteriormente las partes que se quieren dejar claras o blancas; el resultado es un grabado al humo, a la mediatinta, o a la manera negra). La incisión mecánico-química presenta dos variantes fundamentales: en el grabado al aguafuerte el artista dibuja con una punta metálica sobre una plancha recubierta con una capa de barniz; la plancha se somete a un baño de ácido que «muerde» la zona dibujada, dejando en relieve la zona protegida por el barniz. En el grabado a la aguatinta, la plancha se espolvorea con resina y se calienta, formándose un granulado sobre la superficie; al bañar la plancha en ácido, éste sólo penetra en los intersticios entre las partículas, posibilitando la creación de áreas más o menos «mordidas» con efectos tonales diferentes. La litografía o grabado sobre piedra debe su invención en 1798 al músico checo Alois Senefelder, quien la utilizaba en la impresión de partituras; durante el siglo XIX se empleó con frecuencia para la elaboración de ilustraciones y carteles publicitarios. Es un procedimiento sin incisión, basado en el rechazo mutuo del agua y la grasa: se dibuja con un lápiz graso (o un pincel) sobre una piedra calcárea porosa y el dibujo se fija cubriendo la piedra con una fina película de goma arábiga; posteriormente se aplica agua, que es absorbida sólo en las zonas sin grasa, y después se aplica con un rodillo tinta grasa, que sólo es retenida en las zonas dibujadas, ya que el resto está impermeabilizado por el agua. La estampa resultante se caracteriza por su aspecto granulado, reflejo de los poros de la piedra; pueden obtenerse estampas en color preparando tantas piedras litográficas como colores presente el diseño. Además de estos procedimientos tradicionales de grabado, existen otros que han tenido especial desarrollo durante el siglo XX; entre ellos destacan la serigrafía y el linóleo. En la serigrafía, procedimiento de estampación a color de origen chino, los colores se filtran a través de una trama de seda mediante la presión de una paleta de goma o un rodillo; las partes que no deben filtrar se impermeabilizan con cola, barniz o algún otro material. Por último, el linóleo es una técnica de grabado en relieve, como la xilografía, en la que se utiliza como soporte una tela de yute cubierta por una gruesa capa de corcho en polvo amasado con aceite de linaza.

griego, arte La civilización griega extiende su influencia durante más de mil años, entre mediados del siglo XII a.C. (destrucción de Micenas) y finales del siglo I a.C. (proclamación de Augusto como primer emperador romano), en un ámbito geográfico centrado en el territorio de la actual Grecia continental, las islas del Egeo y las costas de Asia Menor, y ampliado progresivamente con el establecimiento de colonias en el sur de Italia y la isla de Sicilia (lo que se conoce como Magna Grecia), factorías en distintos puntos de las costas mediterráneas (de la Península Ibérica a Egipto) y (en la época de Alejandro Magno, a finales del siglo IV a.C.) con la conquista de territorios asiáticos hasta el norte de India. Sus creaciones artísticas, al igual que el resto de sus aportaciones culturales, constituyen la base del posterior desarrollo del arte occidental, y como tales han gozado de una atención preferencial a lo largo de la historia, considerándose durante mucho tiempo modélicas: el arte griego se ha convertido en arte clásico, adquiriendo un valor normativo para la mayor parte de las civilizaciones y artistas subsiguientes (*véase* clasicismo), al menos hasta la aparición del arte contemporáneo. En efecto, los griegos son los creadores de las estructuras urbanísticas, los sistemas de ordenación y proporción arquitectónica y los modelos de representación humana básicos de nuestra cultura, y ellos fueron los creadores de determinadas nociones fundamentales tradicionalmente asociadas al concepto de arte*, como mímesis, proporción* o belleza. Sin embargo, a la hora de estudiar el arte griego conviene no perder de vista su especificidad histórica: se trata de un arte muy vinculado a determinadas creencias religiosas, e inserto en un marco social donde la esfera de lo público prácticamente anula el ámbito de lo privado, limitando considerablemente la posibilidad de expresión individual que caracteriza nuestra concepción actual del arte. La andadura del arte griego se inicia una vez concluido el periodo de decadencia conocido como «edad oscura» (siglos XI-IX a.C.) que siguió al establecimiento de los dorios en Grecia y el ocaso de la civilización micénica*. Se inicia entonces lo que se ha dado en llamar «periodo geométrico» (siglos IX-VIII) por la existencia en él de una cuantiosa producción cerámica con decoración geométrica pintada, en la que comienzan a insertarse, ya a comienzos del siglo VIII, representaciones humanas. Durante el siglo VII a.C., en lo que se conoce como «periodo orientalizante», el aumento de las relaciones comerciales entre Grecia y las costas del Mediterráneo oriental determina la llegada de objetos artísticos (fundamentalmente piezas de marfil y bronce) procedentes de Mesopotamia y Egipto. Los caracteres estilísticos de estas piezas determinan el progresivo abandono de los esquemas geométricos y una mayor presencia de representaciones figurativas (animales, figuras humanas) en la céramica, así como la diversificación general de la producción artística, con la aparición de estilos locales (Corinto, Atenas) y la fabricación masiva de pequeños relieves y figuras de barro y bronce, y piezas de orfebrería. Pero el verdadero arranque de la escultura y la arquitectura griegas, con la creación de las primeras obras monumentales, se produce a partir de finales del siglo VII y a lo largo del siglo VI, durante el «periodo arcaico». En esta época se consolida la prosperidad económica y comercial, con el rápido crecimiento de las colonias; se instauran gobiernos tiránicos en las ciudades-estado, y se anuncia la aparición de las instituciones democráticas. En el ámbito de la arquitectura tiene lugar la creación de los primeros grandes templos (*véase* templo grecorromano), y la definición de los órdenes arquitectónicos* dórico (en Grecia continental y la Magna Grecia) y jónico (en las islas y Grecia oriental). Respecto a la escultura, a los relieves policromados que decoraban los templos, con escenas mitológicas que en ocasiones configuran verdaderos ciclos narrativos, hay que sumar la aparición de las primeras tipologías de esculturas exentas de carácter votivo, muy influenciadas por la estatuaria egipcia: los hieráticos *kouroi* (singular: *kouros*), jóvenes atletas desnudos, con una pierna adelantada y los brazos extendidos a lo largo del cuerpo; y las *korai* (singular: *koré*), mujeres vestidas –posiblemente sacerdotisas o diosas–, igualmente hieráticas. En la cerámica, el nuevo estilo de figuras negras sobre fondo neutro consagra el triunfo de la representación humana, cada vez más naturalista, en una gran variedad de tipologías (ánforas, *pelikés* y *estamnos* para el almacenaje del vino y otras sustancias; jarras para el agua –*hidrias*–, el vino –*oinocoes*–, o el aceite –*lécitos*–; cráteras para mezclar el vino con agua; cántaros, *kílices* y *esquifos* para sacar el vino de la crátera; *aríbalos* y *alabastrones* para contener ungüentos y aceites...) procedentes de numerosos centros alfareros. La fase culminante del arte griego se alcanza durante los siglos V y IV a.C., en lo que se conoce como «periodo clásico». En esta época se consolida la hegemonía ateniense tras la victoria sobre los persas en las guerras médicas, y se establecen regímenes democráticos en muchas ciudades. Es este el momento de máximo refinamiento arquitectónico, plasmado en obras maestras como el templo de Zeus en Olimpia o el conjunto de la Acrópolis de Atenas; se perfeccionan los sistemas constructivos (siempre dentro de un marco de arquitectura arquitrabada: los griegos no utilizaron nunca el arco y la bóveda) y se crea el orden corintio, al tiempo que se diversifican las tipologías arquitectónicas cuidadosamente integradas en conjuntos urbanísticos amurallados: la estoa (pórtico o galería columnada para resguardarse de la intemperie o del sol), generalmente construida en torno al ágora (gran plaza pública donde se celebraban asambleas y mercados); el bouleuterio (edificio de planta cuadrada o rectangular, rodeado de gradas, donde se reunían en asamblea los magistrados de la ciudad); el teatro (*véase* teatro grecorromano); el estadio (recinto de forma alargada, con los extremos redondeados o cuadrangulares y rodeado de graderíos, dedicado a competiciones atléticas); y el gimnasio y la palestra (para la práctica de ejercicios gimnásticos y pugilísticos, con planta cuadrada o rectangular y peristilo central). Es también en esta época cuando Hipódamo de Mileto inventa el trazado urbanístico en forma de parrilla o ajedrezado que tanta influencia ejercerá sobre el urbanismo posterior. Culmina el naturalismo* en escultura; durante el siglo v artistas como Mirón, Fidias y Policleto establecen las relaciones proporcionales que consideran ideales para la figura humana en estatuas y relieves en mármol y bronce, al tiempo que ensayan la representación del movimiento; en el siglo IV, Lisipo, Escopas y Praxíteles estudian efectos expresivos que desbordan los principios del clasicismo. En el campo de la cerámica, Atenas crea un nuevo estilo de figuras rojas sobre fondo negro, con representaciones mitológicas en las que se advierte progresivamente una mayor expresividad y soltura espacial (escorzos, complejas perspectivas). Aunque prácticamente no se conservan restos de pintura mural griega, sabemos a través de las fuentes escritas que tuvo un importantísimo desarrollo, y conocemos el nombre de algunos célebres pintores (Polignoto, Zeuxis, Apeles). La guerra del Peloponeso (404 a.C.) supuso el fin de la hegemonía ateniense; la posterior conquista de Grecia por el macedonio Alejandro Magno abrió paso a una nueva (y última) fase del arte griego que se conoce como periodo helenístico (finales del siglo IV-finales del I a.C.). El arte helenístico hereda los logros del clasicismo griego pero tiene una personalidad acusada, resultado de su asimilación en las cuatro principales áreas de influencia cultural de la época: la península griega, en torno a Macedonia; Egipto, con centro en Alejandría; Asia Menor, en torno a Pérgamo, y el Próximo Oriente, con centro en Antioquía. El idealismo y la reserva emotiva del arte griego clásico dejan paso a un creciente interés por la expresión de las emociones personales (amor, humor, dolor, miedo, anhelo religioso, sueño, ebriedad), y a un triunfo generalizado del realismo, plasmado en la proliferación de retratos; la intensidad expresiva alcanza en ocasiones tales extremos que ha llegado a hablarse de un «barroco helenístico», tendencia extrapolable también a algunas de las realizaciones arquitectónicas de la época, caracterizadas por el empleo de efectos escenográficos y teatrales y un mayor uso del orden corintio. La pintura mural y el mosaico tienen también un importantísimo desarrollo en época helenís-tica, anunciando posteriores realizaciones del arte romano*.

grutesco Motivo pictórico propio del repertorio decorativo renacentista que mezcla figuras humanas, animales y vegetales enlazadas de forma compleja entre sí, formando agrupaciones homogéneas (a veces en formas que recuerdan un medallón o un camafeo) que se repiten en la superficie que decoran, generalmente el techo o las paredes de una estancia palaciega. Los grutescos son pinturas con un destino estrictamente decorativo, que no representan ningún tema y en las que el artista da rienda suelta a su fantasía, incluyendo en ellas seres monstruosos y torsos humanos o animales que surgen de una base vegetal. Se inspiran en las pinturas decorativas romanas que se encontraron en el siglo XVI en algunas ruinas subterráneas o *grotte* («grutas»), como la Domus Aurea de Nerón, en Roma, y de ahí su nombre.

H

helenístico, arte *Véase* griego, arte.

historiografía del arte Aunque los primeros escritos sobre arte, en forma de descripciones de obras o episodios anecdóticos en la vida de los artistas, se remontan al mundo griego, el nacimiento de una verdadera historiografía que intenta dar orden y sentido al transcurso temporal del arte se produce en el Renacimiento*, y concretamente suele fecharse en 1550, año en que el pintor, arquitecto y escritor Giorgio Vasari publica *Le vite de' più eccellenti architetti, pittori, et scultori da Cimabue insino a' tempi nostri*, un relato histórico que describe el florecimiento del arte italiano entre los siglos XIV y XVI a partir de una sucesión de biografías de artistas. Desde entonces, infinidad de escritos histórico-artísticos con enfoques muy diversos han configurado toda una historia de la historiografía del arte. La obra de Vasari inaugura una primera tendencia historiográfica, representada por autores del siglo XVII y principios del XVIII como Gian Pietro Bellori, Carel van Mander, Joachim von Sandrart, André Felibien, Roger de Piles o Antonio Palomino, que identifica la historia del arte con una historia de los artistas y contempla la obra de arte como una especie de trasunto de su creador, de sus deseos y sus preocupaciones, dejando al margen las implicaciones sociales, económicas, religiosas o materiales que no estén filtradas por la personalidad de un genio. Habrá que esperar a la segunda mitad del siglo XVIII para que los historiadores abandonen esta predilección biográfica. En 1764, el anticuario alemán Johann Joachim Winckelmann insiste en su *Historia del arte de la Antigüedad* (1764) en que la comprensión de las obras se produce gracias al conocimiento del entorno geográfico y, sobre todo, cultural; la clave de la evolución del arte ya no es el artista, sino la cultura, entendida ésta como un proceso de perfeccionamiento histórico, con fases de desarrollo y de decadencia, que debe conducir a un ideal. Estamos ante el origen de una concepción idealista del arte que más adelante desarrollarán autores como Jacob Burckhardt (*La cultura del Renacimiento en Italia,* 1859), o Max Dvorak y Hans Sedlmayr (defensores de una historia del arte como «historia del espíritu»), y que también abre paso a las interpretaciones nacionalistas del arte y a diversos determinismos (climáticos, raciales) de considerable éxito en el siglo XIX y principios del XX. Paralelamente a la implantación de estas interpretaciones idealistas, la institucionalización de los museos y las colecciones de arte en el siglo XIX determina el desarrollo de una metodología instrumental que se conoce como «atribucionismo». Los *connoisseurs* («conocedores») decimonónicos se encargarán de llevar a cabo la documentación, clasificación y disposición de las obras de arte en los nuevos museos; para ello recurrirán al examen atento de elementos formales y documentos con los que determinar su cronología, su paternidad, sus mecenas*, sus avatares de conservación, etc. A partir de su labor, la investigación filológica estaba en condiciones de trazar esquemas evolutivos en la producción de un artista, identificar sus influencias y fuentes, y acabar definiendo un *catalogue raisonée* («catálogo razonado») de su producción. El método filológico derivado del atribucionismo se convirtió pronto en otra de las grandes ramas de la historiografía del arte, y muchos historiadores (Giovanni Morelli, Bernard Berenson, Max J. Friedländer, Roberto Longhi, Johanes Wilde) se identificaron plenamente con él; pese a su posterior utilización con criterios reduccionistas, lo cierto es que en su momento tuvo un papel fundamen-

tal en la definición de un objeto de estudio específico para la historia del arte, reforzando su autonomía frente a otras disciplinas y abriendo paso a otra familia metodológica fundamental: el formalismo.

La contrapartida de las interpretaciones culturalistas de finales del siglo XVIII y el siglo XIX son las concepciones formalistas de finales del siglo XIX y principios del XX. Su origen último se encuentra en ciertos autores decimonónicos (Karl Friedrich von Rumohr, Gottfried Semper) que consideraban las obras de arte como un componente más de la vida social e insistían en su valor inmanente. Este planteamiento es recogido por Konrad Fiedler y sus seguidores de la Escuela de Viena, que centran su interés en el estudio de los distintos rasgos formales que caracterizan a los diferentes estilos* del pasado sin establecer valoraciones respecto a un modelo ideal; entre ellos se encuentran Alois Riegl (creador del concepto de *Kunstwollen*, la «voluntad artística» que determina el cambio de un estilo a otro) o Heinrich Wölfflin (que a partir de su obra *Renacimiento y Barroco* sienta las bases para la creación de unos «conceptos fundamentales» con los que abordar una historia del arte específica). Sin embargo, las interpretaciones formalistas no han impedido el desarrollo de tendencias historiográficas que, ya en el siglo XX, han seguido insistiendo en los determinantes extraformales del arte; entre ellas destacan la iconología y la sociología del arte. La iconología cobró impulso a partir de las investigaciones sobre la pervivencia de la Antigüedad en la cultura europea llevadas a cabo a principios de siglo por el historiador Aby Warburg. Para Warburg, y para los numerosos historiadores del arte vinculados al Instituto que fundó en Hamburgo (trasladado a Londres en 1933), entre los que se encuentran Erwin Panofsky, Edgar Wind, Rudolph Wittkower y Ernst Gombrich, las obras de arte son símbolos culturales, complejas formas simbólicas que hay que desentrañar sumergiéndose en la cultura de una época. Según Panofsky (el miembro más influyente del grupo), en la interpretación de una obra de arte deben tenerse en cuenta tres niveles de contenido: el primario o natural (que implicaría la identificación y descripción de los rasgos formales), el secundario o convencional (análisis iconográfico) y el terciario o intrínseco (el contenido propiamente dicho, para llegar al cual hay que proceder a un análisis más profundo, de carácter cultural). Respecto a los enfoques sociológicos, aunque el interés por las implicaciones sociales, pedagógicas y políticas del arte aparece ya en Platón, es en el siglo xx, ante la presión de las graves crisis sociales y los movimientos de masas cuando algunos historiadores comienzan a plantearse seriamente la necesidad de instaurar una sociología del arte. Aunque con considerables matices según sus diferentes re-

presentantes, esta metodología hace hincapié en las estructuras colectivas (relaciones productivas, mercado, mecenazgo) como determinantes básicos de una obra de arte, en detrimento del individuo creador o una elite cultural; así mismo, se preocupa más por explicar las obras de arte en función del hecho social que por afirmar el efecto creativo de estas obras en el desarrollo de la sociedad (la relación arte-sociedad es desigual, con clara primacía del segundo término). Entre los historiadores que han analizado el fenómeno artístico desde perspectivas sociológicas se encuentran Frederick Antal, Giulio Carlo Argan, Pierre Francastel y Arnold Hauser (defensor de una «historia social del arte»).

La última gran rama metodológica de la historiografía del arte contemporánea analiza el fenómeno artístico desde una perspectiva estrictamente lingüística, y lo hace en el seno de una disciplina general que estudia los sistemas de signos, la semiótica. El arte no es ya un instrumento neutro al servicio de un artista o un grupo social; es un lenguaje específico, que condiciona toda experiencia o conocimiento, y que debe ser objeto de análisis frente a otros lenguajes. En la determinación de los elementos específicos que intervienen en el proceso de comunicación artística han tenido gran influencia lingüistas y filósofos estructuralistas como Saussure o Barthes; de especial importancia han sido también los estudios de psicología de la percepción (en los que destaca Rudolf Arnheim), y sobre todo la teoría de la Gestalt, que ya interesó a algunos formalistas. Aunque los análisis lingüísticos han permitido a los historiadores profundizar en los mecanismos de la comunicación visual, los desarrollos historiográficos más recientes (del postestructuralismo a la deconstrucción) han alertado sobre el peligro que puede suponer identificar el arte con un lenguaje sometido a unas reglas fijas, olvidando sus funciones cambiantes a lo largo de la historia.

I

ibérico, arte Bajo la denominación de arte ibérico (o ibero) se engloban una serie de manifestaciones artísticas desarrolladas en las regiones del arco mediterráneo español, Andalucía oriental, la Submeseta sur, el valle del Ebro, las islas Baleares y el Rosellón francés entre los siglos VI y I a.C. Dichas manifestaciones se caracterizan por la fusión de elementos indígenas con influencias procedentes del Mediterráneo oriental, especialmente del arte griego*, tanto en el ámbito de la escultura (asociada en general a contextos funerarios: exvotos en bronce, piezas monumentales –damas oferentes, animales– en piedra) como en la cerámica (con decoraciones geométricas, motivos vegetales estilizados o escenas figurativas) y la orfebrería (joyas, páteras de plata). Aunque resulta complicado establecer una periodización global de las muy diversas manifestaciones del arte ibérico, tradicionalmente suele hablarse de un primer periodo arcaico (siglos VI y V a.C.) caracterizado por el desarrollo de la escultura animalista en piedra (*Esfinge de Agost*); un segundo periodo clásico (siglos IV y III a.C), claramente influenciado por la estatuaria griega, al que corresponderían las célebres damas de Elche y de Baza; y un tercer periodo (siglos II-I a.C.) inmediatamente anterior a la romanización al que pertenecerían, entre otras, las piezas de los santuarios del Cerro de los Santos y Osuna.

iconografía Se llama así al conjunto de imágenes que configuran el tema* representado en una obra de arte, entendido como elemento diferenciado del estilo* y los recursos formales de que el artista se vale para representarlo. Por extensión, se llama también iconografía al repertorio de las representaciones posibles de un determinado tema artístico en un contexto histórico concreto (como, por ejemplo, cuando hablamos de la iconografía de Cristo* en el arte medieval, es decir, de las distintas maneras en que se representa a Cristo como tema en el arte de la Edad Media). En sentido metodológico, la iconografía es el estudio, identificación y descripción de los temas de las obras de arte y, en el método iconológico, es el paso previo al análisis iconológico propiamente dicho (*véase* historiografía del arte, bacanal, Cristo, grutesco, Venus y Virgen).

iglesia El rasgo distintivo de los templos cristianos es el de combinar su condición de recinto sagrado con la de espacio para la asamblea (en griego *ecclessía,* y de ahí su nombre) de los fieles. Es imprescindible tener en cuenta esta doble función de las iglesias para explicar la conformación de sus dos tipologías básicas, la iglesia basilical y la de planta central, cuyas raíces hay que buscar en los primeros tiempos del cristianismo (*véase* paleocristiano, arte). Tras su legalización en el 313, el incremento de las conversiones llevó a asociar los lugares de culto a las residencias de los obispos o jefes de las comunidades locales, dando lugar a las iglesias episcopales, salones rectangulares donde la parte más oriental se reservaba al clero y el resto a la comunidad. Este tipo de estructuras son los antecedentes de la basílica paleocristiana, donde la idea de combinar un espacio sagrado y asambleario a un tiempo está ya plenamente establecida. Las primeras surgen en Roma como fundaciones imperiales a partir del siglo IV y su esquema general se basa en la basílica romana (*véase* romano, arte), aunque éste es un hecho todavía hoy discutido; resulta significativo que los cristianos escogieran un modelo de la arquitectura civil romana y no de la religiosa, lo que muestra tanto el deseo de establecer distancias con la tradición pagana como la necesidad de dar satisfacción a la condición comunitaria de los ritos de la nueva religión. La primitiva basílica consta de un atrio o espacio descubierto previo al edificio; a continuación, un pórtico o nave transversal llamado nártex –originalmente reservado a los catecúmenos o fieles en proceso de formación previa al bautismo– señala la transición hacia el interior: una estructura de planta rectangular dividida en tres o cinco naves y rematada por un ábside o exedra al final de su eje longitudinal; inmediatamente antes del ábside, el cuerpo del edificio se ensancha, formando un rectángulo transversal cuyos extremos sobresalen en planta y al que se llama transepto o crucero; de este modo, la planta de la basílica adquiere una forma similar a una cruz, que se acentúa cuando el ábside de la cabecera se acusa al exterior; a ese esquema se le llama planta basilical o de cruz latina y, con diversas variantes, será el tipo más frecuente de las iglesias cristianas en lo sucesivo. La nave central es más alta y ancha que las laterales y la división entre ellas viene dada por columnatas o arquerías que apoyan en columnas (a partir de la Edad Media también en pilares). En las primeras basílicas las naves se cierran con cubierta plana o armadura de madera, tejado a dos aguas en la nave central y a una sola en las laterales (después cubrirán con bóvedas de distintos tipos: *véase* cubiertas ar-

Basílica paleocristiana

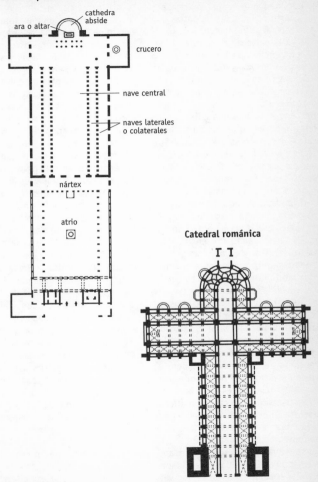

FIGURA 3. Planta de una basílica paleocristiana y de una catedral románica.

quitectónicas); estas últimas se iluminan mediante vanos* practicados en los muros laterales, mientras que a la central abren huecos más grandes en la parte de muro que se eleva por encima de las arquerías, lo que provoca una gradación de la luz, más intensa en el eje longitudinal y en suave penumbra a izquierda y derecha; también sobre las arquerías puede abrirse una tribuna (galería apoyada sobre las naves laterales, de la misma anchura que éstas y abierta sobre la central donde, en los inicios del cristianismo, se ubicaban las mujeres durante la liturgia, por lo que también se llama *matroneum;* cuando es apenas un pasadizo abierto mediante pequeños huecos a la nave central se llama triforio o andito, y en las iglesias románicas y en algunas góticas puede superponerse a la tribuna marcando una altura más en la nave). En las basílicas paleocristianas el paso de las naves al transepto se señalaba por medio de un arco triunfal que separaba el espacio de la comunidad del presbiterio, es decir, el propio del clero; éste se concentraba en torno al altar, bajo el ábside y al final del eje longitudinal del edificio. En el espacio basilical todo contribuye a crear un fuerte impulso direccional hacia el altar y el ábside, donde se concentra la connotación sagrada: el ritmo y la perspectiva de los soportes a ambos lados de la nave central, la mayor iluminación de ésta, la frecuente situación de presbiterio y altar

sobre una cripta con restos de algún santo o mártir, etc. La decoración de las iglesias tiende a subrayar la jerarquía de los espacios y a reforzar su doble condición comunitaria y sagrada: en las basílicas paleocristianas y en las iglesias bizantinas, el uso de mármoles de color en los fustes de las columnas y el recubrimiento de los muros superiores de mosaicos los aligeraban y desmaterializaban, creando la sensación de espacio transformado por la presencia mística de Cristo verificada en la Eucaristía; los mosaicos situados sobre el arco triunfal y el ábside representaban a la Jerusalén Celeste o al propio Cristo rodeado de la corte celestial, lo que reforzaba la especial sacralidad de esa zona. En el románico* los mosaicos se sustituyen por pinturas murales, que a veces invaden todos los paramentos disponibles transformando la iglesia en una verdadera metáfora construida del Reino de los Cielos (la Jerusalén Celeste), que culmina en el ábside con la figura de Cristo* Pantocrator. El románico y el gótico dan un tratamiento relevante desde el punto de vista artístico a las fachadas exteriores, a cuya articulación no se daba mucha importancia en el primer arte cristiano, y en los tímpanos sobre las puertas de acceso se esculpen relieves con temas como el Juicio Final, que subrayan la idea de acceso a un espacio simbólico ultraterreno. Esta simbología de la iglesia como espacio trascendente alcanza su expresión más elaborada en la época del gótico*; los avances constructivos permiten liberar entonces buena parte del muro de funciones portantes y recubrirlo de vidrieras, cuya luz coloreada es la manifestación más elocuente de la presencia mística y simbólica de Cristo. El tipo basilical muestra múltiples variaciones a lo largo del tiempo: en Bizancio se le añaden dos piezas cuadradas a ambos lados del ábside (la *prótesis* y el *diaconicon*) a modo de espacios auxiliares del presbiterio, que darán lugar posteriormente a las sacristías; el número de ábsides aumentará durante la Edad Media, llegando a ser tres o cinco, uno por nave; las cabeceras se rematarán al exterior acusando los ábsides, de forma plana o incorporando un pasillo anular por detrás del altar llamado girola, característico de las iglesias de peregrinación románicas y góticas.

La otra tipología fundamental del templo cristiano, aunque menos extendida que la basilical, es la iglesia de planta central. En los primeros tiempos cristianos estas estructuras tienen una clara connotación conmemorativa, heredera de las *cella memoriae* y *martyria,* monumentos consagrados a la memoria de los mártires; una de las primeras es la iglesia funeraria de Santa Constanza en Roma (siglo IV), de planta circular que forma dos círculos concéntricos, con el más interior cubierto por un cilindro abovedado y el exterior convertido en un deambulatorio circundado por un pórtico circular

y un nártex adosado. El tipo de Santa Constanza dará lugar a muchas estructuras similares, de planta circular u octogonal y cubiertas por cúpulas o cimborrios, que se utilizan como iglesias o baptisterios (espacios dedicados a la celebración de la ceremonia del bautismo, que se llaman así cuando constituyen un edificio separado de la iglesia y no una capilla destinada a ese uso dentro de la misma). En Bizancio se harán iglesias de planta central en forma de cruz griega (con los cuatro brazos iguales), que anuncian la tendencia bizantina a fundir el carácter asambleario y direccional del espacio basilical con el carácter conmemorativo y el uso de la cúpula propios de las iglesias centrales; la liturgia oriental transforma el arco triunfal de las basílicas paleocristianas en una pantalla más cerrada llamada iconostasis, donde se colocan los iconos o imágenes sagradas. El tipo de planta central gozará de especial prestigio durante el Renacimiento* por su equilibrio proporcional y sus reminiscencias de edificios romanos como el Panteón, aunque la mayor parte de las iglesias siguen siendo basilicales. El barroco* no aporta grandes variantes tipológicas, pero sí un tratamiento propio de los espacios, a los que se aplican todo tipo de recursos escenográficos e ilusionistas a través de la decoración. Las tipologías eclesiales no sufren grandes transformaciones durante los siglos XVIII y XIX, salvo la tendencia en este último a decantarse por las formas neogóticas para los edificios religiosos, por considerar a este estilo especialmente representativo del arte cristiano. En el siglo xx, la arquitectura moderna, favorecida desde la década de los sesenta por los cambios en la liturgia introducidos por el Concilio Vaticano II, explota las posibilidades de los nuevos materiales (sobre todo el hormigón) para construir espacios religiosos multiformes, en los que el carácter asambleario prima sobre el estrictamente sagrado; en la arquitectura religiosa del siglo xx predominan los tratamientos en clave expresionista*, que dan formas insólitas y sin precedente tipológico a plantas y cubiertas.

ilusionismo Con este concepto se hace referencia a los distintos procedimientos de los que puede servirse el artista para inducir en el espectador una percepción distinta a la que corresponde a las propiedades materiales efectivas del objeto percibido, es decir, para *engañar al ojo del espectador* y confundir o difuminar los límites entre lo real y lo representado. En grados diferentes, el ilusionismo ha sido uno de los componentes esenciales de la representación artística en la tradición occidental, al menos desde el Renacimiento hasta el siglo xix; durante ese periodo, la representación ilusoria de las tres dimensiones del espacio sobre un soporte bidimensional ha sido uno de los problemas

centrales a que se han enfrentado los pintores. La representación ilusionista plantea siempre una relación ambigua y conceptualmente compleja entre artista, obra y espectador, puesto que depende de artificios lingüísticos convencionales: en la medida en que los dispositivos ilusionistas están bien resueltos desde el punto de vista técnico, el espectador se deja atrapar por la sugestión de que lo representado es efectivamente real, aunque sabe positivamente que está viendo una representación (del mismo modo que nos emocionamos hasta las lágrimas o nos horrorizamos ante una película o función teatral sin ignorar que se trata de hechos ficticios representados por actores); ése sería, por ejemplo, el mecanismo propio de ciertas formas de perspectiva*. Pero otras veces el engaño ilusionista es *verdadero*, es decir, el espectador no es consciente de que ve una representación sin un examen atento de la misma, a menudo con la ayuda de otros sentidos diferentes a la vista. Entre los recursos ilusionistas directamente vinculados a la perspectiva lineal se encuentra el escorzo, representación en perspectiva de un objeto o figura situado en ángulo oblicuo respecto al plano de la superficie pictórica que disminuye de tamaño de forma brusca desde su parte anterior (la más próxima al plano del cuadro) a la posterior (la más alejada del mismo); una forma peculiar y muy acentuada de escorzo es la perspectiva *sotto in sù* (de abajo arriba), que se utiliza en las pinturas de techos del barroco* decorativo para ajustar la eficacia de la ilusión de profundidad a la posición inferior del espectador (cuando el techo decorado es además curvo, como en las cúpulas y bóvedas, las figuras también se agrandan conforme la superficie pintada se aleja del espectador con el mismo fin; si no se recurre a ninguno de estos sistemas y los murales de un techo consisten en escenas individualizadas pintadas según las convenciones de la perspectiva común se habla de *quadri riportati,* cuadros trasladados). Más allá de la perspectiva y los recursos ilusionistas de carácter convencional está el trampantojo (con mucha frecuencia se usa la denominación francesa *trompe l'oeil,* que nada añade a la precisa y tradicional voz castellana) o representación que pretende confundir verdaderamente al espectador sobre los límites entre lo real y lo representado; los tratados de pintura están llenos de anécdotas legendarias como la del racimo de uvas pintado por el griego Parrasio que los pájaros acudían a picotear, o la mosca que el joven Giotto pintó sobre la nariz de una figura de Cimabue y que éste intentaba espantar como si fuera real; en muchos cuadros hay detalles de este tipo con el único fin de mostrar de forma divertida el virtuosismo del artista, y en la pintura decorativa a veces se emplea para simular vanos o balaustradas a tamaño real; a esta modalidad pertenecen la imitación de texturas de mármol o madera o los elementos arquitectónicos pintados (columnas, pilares, arcos) que simulan continuar los reales, recurso este último muy utilizado en el barroco decorativo y que se conoce como *quadrattura.* En el ámbito de la arquitectura, el recurso al ilusionismo intenta hacer ver que un espacio es más amplio, más largo o más profundo de lo que en verdad es con procedimientos tomados bien de la perspectiva pictórica, bien de la escenografía teatral; así, un espacio parecerá más profundo si sus muros laterales no son paralelos sino ligeramente convergentes, o si su suelo no es plano sino que se eleva a medida que se aleja de la vista; del mismo modo, cuanto más estrecho y vertical de proporciones sea un volumen, parecerá más alto que otro de igual altura real y proporción más chata. Los espejos se utilizan con frecuencia para aumentar ilusoriamente la amplitud de un espacio, y cuando se afrontan dos espejos éste parece multiplicarse hasta el infinito. También el color modifica la percepción de la amplitud de una estancia, que parecerá siempre más amplia si sus paredes se pintan en tonos claros. Entre los mecanismos ilusionistas más conocidos en el ámbito arquitectónico cabe destacar la corrección óptica llevada a cabo en la columnata de los templos griegos (*véase* templo grecorromano).

impresionismo Se llama impresionistas a un grupo de pintores franceses que, en 1874, ante las dificultades para exponer su obra en el Salón oficial, formaron una sociedad cooperativa y organizaron una exposición conjunta en un local parisino cedido por el célebre fotógrafo Nadar. Las exposiciones se sucedieron en los años siguientes sin periodicidad fija hasta un total de ocho, la última en 1886. Los principales integrantes del grupo son Claude Monet, Pierre-Auguste Renoir, Alfred Sisley, Camille Pissarro, Edgar Degas, Paul Cézanne, Gustave Caillebotte y Berthe Morisot; a ellos se les suele añadir Édouard Manet, que nunca quiso exponer con el grupo aunque fue un elemento inspirador para la mayor parte del mismo, y Frédéric Bazille, que estuvo en sus orígenes pero murió en la guerra francoprusiana de 1870. El primero en llamar impresionistas a estos pintores fue el crítico L. Leroy, en un artículo demoledor sobre la exposición de 1874, para burlarse de una marina de Monet titulada *Impresión, sol naciente;* como ocurre a menudo con otras corrientes renovadoras de los siglos xix y xx, el término fue asumido por los interesados como un reto, y enseguida se generalizó su uso desprovisto de la inicial connotación despectiva. El concepto de impresionismo se refiere al conjunto de rasgos formales e ideológicos que distinguen la obra de estos pintores: paleta de tonos claros y contraste directo entre luz y sombra; gusto por la pintura al aire libre directamente ante el motivo *(plein air)*, sin reelaboración posterior en el taller; preferencia por el paisaje y la escena urbana como temas; consideración del color* como propiedad relativa de los objetos, sometida a cambios cuando varía la luz que los ilumina, de manera que las sombras, por ejemplo, toman el color del objeto que las proyecta; uso de los colores complementarios y de una técnica característica basada en pequeñas pinceladas separadas a partir de las que el ojo, a una cierta distancia, reconstruye las formas. El impresionismo pretende plasmar en el lienzo la apariencia inmediata de las cosas, pintar *lo que vemos* y no *lo que sabemos* acerca de ellas; responde por lo tanto a un concepto objetivo y positivista de la sensación coloreada más que a una aspiración al realismo* tal como lo habían entendido años antes pintores como Courbet, con los que fueron relacionados por la crítica conservadora. Sin embargo, no se trata de un grupo homogéneo; esas características cuadran bien con la pintura de Monet y buena parte de la de Renoir, Pissarro y Sisley, pero no con la de Manet o Degas (que pintaron poco al aire libre, se interesaron sobre todo por la figura humana y su inserción en el espacio y casi nunca usaron la técnica impresionista de pinceladas cortas y sueltas), ni con la de Cézanne (sólo entendido por los pintores más jóvenes que conforman la escena del postimpresionismo* y por los iniciadores del cubismo*). Su asociación fue concebida como una «unión de intereses» –en palabras del crítico afín P. Alexis– ante la falta de oportunidades que les ofrecía el Salón oficial, más que como una tendencia organizada; pero al desacreditar los sistemas tradicionales de representación ilusionista y poner el acento en la ejecución material de la obra más que en su capacidad de representación de un tema determinado, el impresionismo constituye un momento clave del camino que conduce hacia el cubismo y el arte de vanguardia*. La violenta reacción contraria del público y la crítica conservadores en sus primeros tiempos también prefigura la difícil relación con el gran público característica del arte vanguardista.

informalismo Término que engloba una amplia serie de experiencias artísticas abstractas (*véase* abstracción) desarrolladas en Europa y América durante las décadas de 1940, 1950 y 1960, con ramificaciones posteriores. Deriva del término francés *art informel,* denominación acuñada en 1952 por el crítico Michel Tapié para referirse a un estilo pictórico cultivado por artistas europeos en los años cuarenta. Las creaciones informalistas, ya se trate de pinturas o esculturas, se caracterizan por la práctica desaparición de las representaciones figurativas y la pérdida de toda refe-

rencia espacial. Bajo clara influencia del automatismo surrealista (*véase* surrealismo*), los informalistas convierten la obra en un reflejo espontáneo de sus pulsiones internas, sirviéndose de la materia pictórica (el pigmento distribuido sobre el lienzo mediante chorretones, gruesos empastes o incluso directamente con las manos) o de diferentes materiales ajenos a la tradición clásica (arena, arpilleras, tela metálica, residuos orgánicos, objetos encontrados) como vehículos de expresión. Los términos *Tachisme* (francés: «manchismo»), «abstracción lírica», «pintura matérica» y «pintura gestual» se utilizan en ocasiones como sinónimo de informalismo, aunque su significado es más restringido o específico. Las tendencias informalistas alcanzaron un especial desarrollo en Francia (Fautrier, Wols), España (grupos El Paso y Dau al Set), Países Bajos (grupo Cobra) y Estados Unidos (Pollock, De Kooning). Los desarrollos informalistas en este último país suelen gozar de un tratamiento diferenciado por parte de críticos e historiadores, y se engloban bajo la denominación de expresionismo abstracto; algunos autores se refieren también al informalismo norteamericano como *Action Painting* («pintura de acción»), aunque en sentido estricto este término, acuñado por el crítico Harold Rosenberg en 1952, se relaciona específicamente con la obra de Jackson Pollock, creador asimismo de una técnica pictórica, el *drip-*

ping («chorreo»), consistente en derramar directamente sobre el lienzo la pintura.

islámico, arte Denominación aplicada al conjunto de manifestaciones artísticas desarrolladas en el área de influencia de la cultura islámica desde mediados del siglo VII, fecha de la conquista de las primeras regiones sirias por árabes musulmanes. El núcleo inicial de dicha cultura se encuentra en la Península Arábiga y el Creciente Fértil (Siria, Palestina e Irak), pero el proceso de expansión llega a afectar a una enorme extensión territorial que va desde la Península Ibérica hasta el Indo, pasando por todo el arco sur del Mediterráneo y Oriente Próximo; la influencia cultural y artística del islam tendrá una intensidad y duración muy diversas según las diferentes regiones, lo que ha llevado a la creación de conceptos historiográficos más claramente delimitables desde el punto de vista cronológico (como arte omeya o arte abasí, en referencia a las dos primeras dinastías islámicas) o geográfico (como arte fatimí o arte otomano, desarrollados respectivamente en Egipto y Turquía) para referirse a las creaciones artísticas islámicas. Sin embargo, una serie de rasgos comunes permiten trazar una evolución global del arte islámico que no se cerraría hasta bien entrado el siglo XVIII, y que algunos autores siguen incluso proyectando hasta el arte y la arquitectura de los países islámicos contemporáneos.

Los musulmanes invasores rara vez destruyeron la cultura preexistente; retomaron algunos de sus rasgos y adecuaron gran parte de sus logros artísticos a sus propias necesidades. Por ello resulta complicado definir una identidad específica del arte islámico más allá de su dependencia general de las tradiciones artísticas romana, bizantina y persa. En realidad, el problema radica en que las principales innovaciones del arte islámico no se plantean en el nivel morfológico, sino en la novedosa combinación de motivos y formas previos y en los nuevos usos atribuidos a dichas formas. Un buen ejemplo de ello se encuentra en la principal tipología arquitectónica del arte islámico, la mezquita*, un edificio carente de toda complejidad estructural (no es más que una extensión modular, multiplicable hasta el infinito dependiendo de las necesidades de congregación), pero en el que se funden convincentemente elementos de culturas previas y se desarrollan hasta la extenuación múltiples entramados decorativos de raigambre clásica. Algo similar ocurre en otras tipologías arquitectónicas religiosas, como las madrasas o medersas (escuelas coránicas que sirven al mismo tiempo como residencias para estudiantes; suelen tener planta de cruz griega en torno a un patio central con fuente) o los ribats (especie de monasterios fortificados, generalmente de planta cuadrada, construidos sobre todo en el norte de

África), y civiles, como los caravan-
sares (albergues o posadas en las
rutas comerciales) o los baños públicos o *hammams* (similares a las
termas de los romanos). Los palacios suburbanos, por su parte, remiten directamente a las villas
romanas: se trata de conjuntos
construidos en torno a uno o varios
patios, con habitaciones privadas,
zonas oficiales (entre ellas el *mexuar*, o salón del consejo de visi-
res), un baño y una mezquita; suelen ofrecer un acusado contraste
entre el exterior, austero y frecuentemente amurallado, y el interior,
ricamente decorado, y en el que las
construcciones alternan con jardines, acequias y fuentes.

La decoración de superficies arquitectónicas es uno de los elementos
más personales del arte islámico,
compensación del escaso desarrollo
de la escultura y la pintura figurativas, consideradas idolátricas. Su
aplicación es generalizada, con tendencia a enmascarar la estructura
arquitectónica en una especie de
horror vacui. Los motivos son variados, en su mayoría heredados del
mundo tardoclásico; los más corrientes son los geométricos, cuyo
origen generador se encuentra sobre todo en el círculo, que se multi-
plica, subdivide, rota y distribuye
en composiciones simétricas. Uno
de sus desarrollos más habituales
es la lacería, entrecruzamiento al-
ternativo de líneas que configura
motivos estrellados o poligonales.
Abundan también los motivos ve-

getales; a partir del motivo clásico
del pámpano entrelazado, los musulmanes desarrollan el arabesco,
un tallo continuo que se escinde regularmente produciendo una serie
de tallos secundarios que a su vez
pueden escindirse de nuevo o rein-
tegrarse en el tallo central. En la
Córdoba califal es frecuente el empleo del ataurique, decoración vegetal basada en la estilización del
acanto clásico. Pero el motivo más
original y característico de la decoración islámica es la caligrafía, ya
sea en su versión cúfica (la más arcaica, de formas angulosas) o nasjí
(cursiva). Los textos escritos hacen
referencia a pasajes del Corán, o
bien son comentarios –incluso poe-
mas– sobre algún aspecto del edificio o sobre sus autores y mecenas.
Todos estos repertorios decorativos
islámicos se aplican sobre superficies arquitectónicas de piedra, adobe y (sobre todo) estuco, configurando artesonados de madera,
bóvedas y cúpulas de mocárabes o
mucarnas (conglomerados de pequeños prismas colgantes con base
cóncava), paneles de *sebka* (redes
de rombos formadas por series de
arcos superpuestos) o revestimientos de azulejos; y se aplican igualmente sobre numerosos objetos decorativos o funcionales (cerámicas,
tapices, alfombras, tejidos, armas,
cajas, lámparas).

El arte islámico desarrollado en la
España musulmana (al-Andalus) entre los siglos VIII y XV suele denominarse específicamente arte hispano-

musulmán o arte andalusí. En su evolución cabe distinguir un primer periodo omeya o califal (756-1031), caracterizado por la combinación de influencias sirias con el sustrato preislámico (sobre todo visigodo) y cuya máxima expresión es la Mezquita de Córdoba; un segundo periodo marcado por la desintegración territorial de los reinos de taifas (1031-1086) y el domino almorávide (1086-1160), y que podría definirse como una derivación «barroca» del arte califal precedente; un tercer periodo de dominio almohade (1160-1212), con centro en Sevilla (Mezquita, Torre del Oro, Alcázar), durante el cual se llevan a cabo numerosas innovaciones decorativas (arcos de herradura apuntados, arcos polilobulados, motivos de sebka); y un último episodio de máximo refinamiento, el arte nazarí del reino de Granada (1238-1492), reflejo del cual son los palacios de la Alhambra y el Generalife.

L

línea Elemento formal básico en la configuración artística, que el DRAE define como «extensión considerada en una sola de sus tres dimensiones: la longitud». La tradición artística clásica (*véase* teoría del arte) ha relacionado siempre la línea (y su derivación, el dibujo*) con valores conceptuales e intelectuales, por oposición al color*, un elemento mucho más subjetivo y generalmente vinculado a valores emocionales. Sin embargo, las experiencias artísticas contemporáneas, del arabesco modernista a la retícula abstracta, han abierto para la línea un campo de aplicación mucho más amplio, rompiendo su conexión exclusiva con el concepto de dibujo; la línea ya no es necesariamente el instrumento de definición, acotación y control conceptual en la representación artística, sino que puede emplearse con intención decorativa (Matisse), imbuida de atributos simbólicos (Kandinsky), o como un mero registro fenomenológico (los trazos de los pintores vinculados al informalismo*). La psicología del arte ha estudiado los variables efectos de conjuntos de líneas y diseños diferenciados (estabilidad/dinamismo; ascensionalidad/horizontalidad; profundidad/planitud), y los historiadores del arte han aplicado con frecuencia estos descubrimientos al estudio de las composiciones* pictóricas.

lonja 1. Edificio público de uso comercial consistente en una nave de planta rectangular que configura un espacio diáfano; en él se lleva a cabo la contratación de las mercancías que, a veces, se almacenan y se exhiben allí mismo. Es una tipología arquitectónica característica del gótico* civil de Cataluña, Valencia y Baleares, que en la Baja Edad Media eran importantes centros del comercio mediterráneo; las de Barcelona, Valencia y Palma de Mallorca son los ejemplos prototípicos. Se trata de un caso peculiar de aplicación del sistema constructivo propio del gótico, que aquí no se dirige al propósito de aumentar la altura del edificio, como en las catedrales, sino a obtener un espacio amplio y bien iluminado, sin más interrupciones que las de los soportes que recogen el empuje de las bóvedas de crucería (*véase* cubiertas arquitectónicas).

2. Espacio que precede a la fachada principal de un gran edificio religioso, tanto si se trata de una plataforma abierta, levemente elevada sobre el nivel del terreno y enlosada (por ejemplo, la lonja del Monasterio de El Escorial), como si es una plazuela acotada y porticada similar a un atrio.

3. Es un error relativamente extendido identificar el término español «lonja» (que viene del catalán *llonja* o *llotja*) con el italiano *loggia*, que significa «galería cubierta», tanto si ésta se abre en la fachada de un edificio como si es un atrio independiente situado en una plaza (por ejemplo, la Loggia dei Lanzi de la piazza della Signoria en Florencia. De este modo, puede encontrarse el término lonja empleado para designar una galería por una mala traducción de *loggia*, cuando bastaría con traducir simplemente por «galería», o dejar el término italiano (suficientemente consagrado en el vocabulario arquitectónico de muchos otros idiomas), o su españolización «logia».

M

manierismo El término «manierismo» tiene su origen en una expresión italiana, *maniera*, identificada con una cualidad del comportamiento humano que podría traducirse por «estilo» o «refinamiento», y que durante el Renacimiento* comenzó a aplicarse al ámbito de la creación artística con las connotaciones de virtuosismo, inventiva y sofisticación. En la segunda mitad del siglo XIX aparecen las primeras referencias específicas a la *maniera* o el manierismo como una tendencia histórico-artística desarrollada durante el siglo XVI; a partir de entonces y hasta bien entrado el siglo XX, encontramos siempre, paradójicamente, una caracterización negativa del término: los teóricos e historiadores del arte identifican el manierismo con una perversión del equilibrio clásico del Renacimiento pleno (inaugurada con el traumático episodio del *saco* de Roma por las tropas imperiales en 1527) y la *maniera* se convierte en «amaneramiento», virtuosismo vacío, artificiosidad y capricho, aspectos contra los que reaccionaron los creadores del barroco. Habrá que esperar a la década de 1920, una vez asentadas

las experimentaciones del arte de vanguardia, para que se produzca una revalorización desprejuiciada del manierismo. Actualmente se observa una doble tendencia en el empleo historiográfico del término: mientras que algunos historiadores prefieren restringir su aplicación a determinados episodios estilísticos del arte italiano entre la década de 1520 y finales del siglo XVI, y hablan de una «primera *maniera*» (Pontormo, Rosso, Giulio Romano), una «*maniera plena*» (Bronzino, Vasari) e incluso de una «*contramaniera*» (en referencia a una versión más severa y austera del manierismo que sirve de vehículo expresivo a la Contrarreforma católica) gestadas en Roma y Florencia, otros insisten en su proyección internacional, identificando el manierismo con un arte refinado, elegante y en ocasiones excéntrico, cuyos principales centros de difusión coinciden con las más importantes cortes de la época (Florencia, Mantua, Roma, Fontainebleau, Múnich y Praga), y que sirve para definir la obra de creadores tan diversos como Giuseppe Arcimboldo, Bartholomeus Spranger o El Greco. En cualquier caso, ambas interpretaciones coinciden en una serie de caracterizaciones estilísticas. Las nuevas creaciones reflejan una ruptura del equilibrio clásico entre forma y contenido, en beneficio de la primera; por encima de todo, se valora la destreza y la capacidad del artista para conseguir acabados precisos y trazos perfectos, y aún más si la perfección produce al mismo tiempo sensación de facilidad de ejecución. En las temáticas se percibe un tono más críptico, un exceso de erudición literaria y una mayor presencia de «citas» a la Antigüedad y a los grandes maestros (Miguel Ángel, Rafael), reflejo de una extrema autoconsciencia histórica, así como un frecuente recurso al símbolo*, la metáfora o la alegoría. Los creadores manieristas, por último, manifiestan una clara atracción por la variedad, dando entrada a lo extraño y lo maravilloso, e incluso lo feo y lo monstruoso, en el universo de lo artístico; en esta época prolifera el coleccionismo, y los nobles y reyes atesoran los más extraños objetos en gabinetes de curiosidades o maravillas *(Wunderkammer)*. En el ámbito de la arquitectura, el manierismo supone una generalización de las «licencias» frente a la normativa clásica, el uso de materiales variados y múltiples texturas y una tendencia al aumento de la decoración (especialmente en vanos, escaleras o chimeneas). También se intensifica el interés por los jardines, poblados de numerosas esculturas, fuentes, grutas, escalinatas y pabellones.

mecenas La materialización de una obra de arte es obviamente responsabilidad de un artista*, pero la historia ha demostrado con frecuencia la influencia determinante que sobre las creaciones artísticas han tenido los clientes y mecenas, identificados estos últimos con personas, corporaciones o entidades que contribuyen al sostenimiento económico y/o a la formación del artista. El nacimiento del mecenazgo se produce en las cortes italianas del Renacimiento y está vinculado al establecimiento de una nueva consideración social del arte, identificado ahora con una actividad intelectual y no meramente artesanal, y susceptible por tanto de despertar el interés de personajes de alto rango social y económico, así como al fenómeno del coleccionismo, que comienza a proliferar por toda Europa a partir del siglo XVI. El mecenazgo acelerará el incipiente proceso de liberación de los artistas de sus ataduras gremiales y excepcionalmente hará posible el acceso de ciertos pintores, escultores o arquitectos a niveles sociales elevados. Cabe distinguir entre la figura del mecenas y la del patrono, personaje que encarga y paga una obra específica; cuando el patrono financia, como ofrenda religiosa, la realización de una obra (una pintura, un retablo, una capilla) en el marco de una iglesia, recibe el nombre de donante, y en ocasiones se incluye en dicha obra su retrato en actitud orante.

ménsula Elemento arquitectónico de pequeñas dimensiones, forma variable y adosado al muro que sobresale de él en voladizo. La superficie que queda perpendicular al muro sirve para sostener algún objeto decorativo o bien para recibir o servir de apoyo a un arco o un nervio, como el *cul de lamp* característico de la arquitectura cisterciense*, así llamado por recordar vagamente a la palmatoria o base de una lámpara que se hubiera adosado a la pared. El término viene del latín *mensa* (literalmente, «mesa»; *mensula* sería su diminutivo: «mesita»), palabra que en Roma se usaba también para denominar a un altar y que después serviría para designar la parte superior de los altares cristianos: las ménsulas pueden sostener pequeñas esculturas sagradas, a modo de altarcillos, de ahí la razón del nombre.

mesopotámico, arte Véase Próximo Oriente, arte del.

mezquita (del árabe *masjid,* lugar donde uno se postra) Edificio religioso que sirve de lugar de oración a los musulmanes. Suele constar de una zona descubierta o *sahn,* consistente en un patio rodeado de pórticos sobre columnas o pilares, y una sala hipóstila (columnada) o *haram* dividida en naves. El muro que cierra dicha sala en uno de sus extremos se denomina *quibla,* y define la orientación de los fieles en la plegaria (mirando hacia La Meca).

En el centro de la *quibla* aparece un nicho, el *mihrab,* por lo general profusamente decorado, que simboliza el lugar en el que predicaba Mahoma en su casa de Medina. El espacio que antecede a la *quibla* y el *mihrab* en las grandes mezquitas se reserva para uso exclusivo del príncipe, y recibe el nombre de *maqsura.* El conjunto se completa con el alminar o minarete, una torre que facilita la llamada a la oración por parte del almuédano o *muazzin.* La expansión geográfica del islam (*véase* islámico, arte) determinó la reutilización como mezquitas de edificios y tipologías arquitectónicas anteriores a la conquista, así como la aparición de variantes que no responden al esquema descrito; en Irán, por ejemplo, se gestó un tipo de gran mezquita muy diferente a la occidental, con una estructura desarrollada a partir de un patio central con cuatro *iwanes* (salas abovedadas de planta cuadrada o rectangular, uno de cuyos lados se abre completamente al exterior) y múltiples cúpulas, mientras que en Turquía los otomanos adoptaron la estructura de la basílica bizantina* de Santa Sofía para la creación de sus mezquitas.

micénico, arte La civilización micénica se desarrolla en la península Heládica durante el periodo final de la Edad del Bronce, es decir, entre los años 1600 y 1100 a.C., aproximadamente. En esos siglos se produce el asentamiento definitivo de los aqueos en la Grecia continental y su progresiva integración en el marco cultural del Mediterráneo oriental; este pueblo de origen indoeuropeo y costumbres guerreras recibe pronto la influencia de la refinada cultura minoica*, influencia que será determinante en sus creaciones artísticas, sobre todo en la pintura, la escultura y la cerámica, consideradas derivaciones directas del arte cretense. Sus aportaciones más originales se producen sin duda en el ámbito de la arquitectura. Los nuevos pobladores de Grecia fundan importantes ciudades amuralladas (Tirinto, Pilos y, sobre todo, Micenas) en cuyo interior construyen palacios con sus diversas estancias distribuidas alrededor de un *mégaron* (una amplia habitación rectangular con un hogar central rodeado de cuatro columnas y precedida de un vestíbulo y un pórtico columnado); la estructura del *mégaron* servirá de punto de partida para el definición posterior del templo grecorromano*. Otra importante tipología arquitectónica desarrollada por los micénicos es el *tholos,* una tumba de cámara de raigambre neolítica, ahora perfeccionada y dotada de proporciones monumentales; el más famoso es el Tesoro de Atreo, que consta de un *dromos* o corredor de acceso a cielo abierto, y un *stomion* o pasillo cubierto que conduce a una cámara funeraria circular (de 14 metros de altura y de diámetro) con falsa cúpula (*véase* cubiertas arquitectónicas) recubierta por un montículo de tierra.

miniatura En sentido genérico, el término miniatura se utiliza para designar a cualquier representación pictórica de tamaño muy pequeño o diminuto (por ejemplo, los retratos insertados en piezas de joyería) o a una reproducción igualmente pequeña de una obra mayor, ya sea ésta pictórica o escultórica. Sin embargo, en sentido estricto, las miniaturas son las representaciones pictóricas que ilustran ciertos rollos y códices manuscritos de la Edad Media y el Renacimiento. Los miniaturistas (del latín *minium*, minio, en referencia al pigmento rojo utilizado con frecuencia para realzar las letras iniciales de los manuscritos) o iluminadores (del latín *illuminare*, dar luz o adornar) eran inicialmente monjes que trabajaban en los *scriptoria* de los monasterios y, a partir del siglo XIII, artistas laicos integrados en talleres; unos y otros transcribían sobre pergamino o vitela textos litúrgicos (biblias, evangeliarios, sacramentarios –libros con todas las oraciones que reza el sacerdote en la misa–, salterios –recopilaciones de salmos–, libros de horas –en los que se recogen las oraciones apropiadas para cada hora del día–), decorando minuciosamente sus iniciales y poblándolos de orlas e imágenes. Una modalidad específicamente hispana de miniatura son los beatos, manuscritos iluminados en los siglos X a XIII que contienen los Comentarios al Libro del Apocalipsis redactados a finales del siglo VIII por el monje Beato de Liébana.

minoico, arte La civilización desarrollada en Creta durante el II milenio a.C., llamada minoica en referencia al legendario palacio del rey Minos (que el arqueólogo inglés Arthur Evans identificó en 1900 con uno de los principales complejos arquitectónicos de la isla, el palacio de Cnosos), supo crear un arte de personalidad propia que tendría gran influencia en el posterior desarrollo artístico de las culturas heládicas (*véase* micénico, arte y griego, arte). El carácter pacífico de la sociedad cretense determinó una producción artística muy diferente a la de las grandes civilizaciones orientales, Egipto y Mesopotamia. En el ámbito de la arquitectura no hay restos de monumentalidad ni referencias a un poder despótico. Los palacios (entre ellos los de Malia, Faistos y el ya citado de Cnosos) son centros administrativos, comerciales y religiosos formados por construcciones adosadas y escalonadas siguiendo los desniveles del terreno. Pese a su estructura laberíntica, existen en ellos una serie de áreas especializadas: una parte oficial, generalmente situada al oeste, engloba las funciones administrativas, de poder y religiosas; otra zona residencial alberga las dependencias de príncipes y sacerdotes; hay también una zona de almacenaje y otra de artesanado. Las entradas, escaleras y pozos de luz emplean columnas pintadas como sostén; la columna minoica, muy característica, presenta un fuste cuyo diámetro disminuye desde la parte superior a la inferior y un capitel compuesto de un collarino, un voluminoso equino y un ábaco de gran tamaño que sostiene un entablamento de madera. Especial interés revisten sus decoraciones pictóricas, frescos naturalistas de vivos colores que recubren las paredes, creando ambientes decorativos en los que dominan las líneas onduladas y los ritmos curvos. Representan animales (monos, antílopes, toros, delfines) y plantas (lirios, hiedras, cipreses) enmarcados en paisajes o combinados con motivos geométricos, así como figuras humanas en escenas (ofrendas procesionales, juegos); la influencia egipcia se observa en la combinación de la visión frontal y de perfil en una misma figura o en el uso de tintas planas. La cerámica cretense presenta también una gran originalidad y calidad; se distinguen tres estilos fundamentales: el de Kamares o «cáscara de huevo», con decoración curvilínea abstracta y algunos motivos vegetales o animales (peces) en colores claros sobre fondo oscuro; el estilo naturalista, con piezas de fondo claro y motivos oscuros, a su vez con dos variantes, el estilo floral (decoración vegetal esquematizada y motivos geométricos) y el estilo marino (decoración animal/marina: caracoles, peces, delfines, pulpos); y el estilo de palacio, en el que las decoraciones se organizan en frisos y bandas. La escultura minoica, por último, está impregnada de una profunda religiosidad de raíz neolítica: el culto a la diosa-madre de la fecundidad, identificada con la tierra, y a principios y seres de la naturaleza como los pájaros, el toro o la serpiente. Las representaciones nunca son de carácter monumental; sólo se conocen pequeñas estatuillas naturalistas entre las que cabe destacar las «diosas de las serpientes», representaciones de deidades femeninas o sacerdotisas en cerámica vidriada o loza; aparecen en pie, con abultados senos, sosteniendo serpientes en sus manos o en su estrecha cintura y brazos. Los cretenses trabajaron también con pericia los metales, como demuestran los relieves en oro repujado que decoran los *Vasos de Vafio*.

modernismo Movimiento de renovación de la arquitectura y las artes decorativas desarrollado en distintos lugares de Europa en la última década del siglo xix y la primera del xx. Su origen está relacionado con la repercusión en el continente del Arts & Crafts Movement (Movimiento de las artes y los oficios), gestado en Gran Bretaña en la segunda mitad del siglo xix e inspirado en las ideas de William Morris sobre los beneficios sociales, morales y funcionales de la producción artesanal de muebles y objetos de uso doméstico; el Arts & Crafts Movement ensalza la Edad Media y la arquitectura y la artesanía populares como alternativa a la adaptación de las formas tradicionales a la producción industrial, que, en efecto, trajo consigo objetos de baja calidad artística y funcional. El modernismo toma del movimiento británico la reivindicación de la artesanía y la dignificación artística de las artes decorativas*, propugnando la equiparación de objeto de uso y objeto artístico; también es receptivo a la idea de que las artes pueden ser un instrumento de cambio social, y muchos modernistas se comprometieron con movimientos socialistas o cristianos con vocación reformista, como ya había ocurrido en el Arts & Crafts Movement. Pero lo que singulariza verdaderamente al modernismo es el intento explícito de construir por primera vez un estilo moderno independiente de los estilos del pasado; para ello, se trata de dar una respuesta original al problema del ornamento, que no se concibe como un añadido, sino como un principio formal que configura las piezas y edificios en su totalidad, confiriéndoles unidad y dignidad artística. Este lenguaje decorativo es de origen orgánico, es decir, se inspira en los ritmos que pueden observarse en las formas de la naturaleza –sobre todo en las vegetales– debidamente estilizados, y es también predominantemente lineal; sus motivos más característicos son, por tanto, curvilíneos –el juego de curva y contracurva que se conoce como «curva o golpe de látigo»–. La gramática formal del modernismo actúa como elemento unificador de las distintas partes del edificio, desde la planta hasta la fachada, pero también convierte en parte de la misma unidad formal al edificio y su mobiliario, concebido todo ello como una «obra de arte total». El refinamiento y el gusto por los materiales preciosos y los procedimientos artesanales del modernismo (aunque algunos diseñadores y arquitectos modernistas no desdeñan los materiales y procedimientos industriales, siempre que estén sometidos a ese lenguaje formal unitario) lo restringió a una clientela altoburguesa, como también ocurrió con los productos del Arts & Crafts Movement pese a sus ambiciones de reforma social. Este episodio recibe distintos nombres en los diferentes lugares donde arraigó: *Art Nouveau*, en Francia y Bélgica; *Jugendstil*, en Alemania (por *Jugend* o «Juventud», título de la revista que promovió el modernismo en Múnich); secesionismo o *Secessionstil*, en Austria (por la Wiener Secession, asociación de artistas y arquitectos vieneses escindidos de la asociación académica en 1897); *stilo Liberty*, en Italia; *Modern Style*, en Inglaterra y Escocia; *modernisme*, en Cataluña. Cada uno de estos núcleos tiene personalidad propia (el característico modernismo curvilíneo es más frecuente en Bélgica, Francia y España, mientras que en Glasgow y en Viena se tiende a formas lineales y geométricas rectas, aunque siempre de carácter orgánico), pero lo fundamental del ideario es común. Durante mucho tiempo se ha considerado al modernismo un episodio brillante y fugaz que se agota en sí mismo, arrumbado por la irrupción del Movimiento Moderno* después de la Primera Guerra Mundial; sin embargo, cada día es más evidente que puso sobre el tapete algunos elementos de gran importancia para la arquitectura y el diseño* posteriores, como la unidad del lenguaje formal de las distintas especialidades artísticas; su influencia directa en la arquitectura expresionista alemana y holandesa del periodo de entreguerras tampoco se ha tenido siempre en cuenta.

moldura Banda estrecha y continua que recorre horizontalmente la superficie de un muro, o ciñe o recuadra otro elemento arquitectónico (columna, pilar, dintel o alféizar de un vano*, etc.) con propósitos decorativos. En el caso del muro, también sirve para articularlo, separando y distinguiendo unas partes de otras (el arranque de una bóveda, el comienzo de un friso decorado). Hay distintos tipos de molduras que se clasifican por la forma de su sección o perfil y por su grosor: el filete o listel es de sección cuadrada o rectangular, en leve resalte sobre la superficie que recorre; el toro o bocel tiene un perfil semicircular y convexo y cuando es muy pequeño se llama baquetón o baquetilla; a la mitad de un bocel, es decir, una moldura de sección de cuarto de círculo convexo, se le llama cuarto bocel; cuando la sección es semi-circular pero cóncava (como un bocel rehundido en el paramento: *véase* muro) la moldura recibe el nombre de media caña; el caveto o nacela es un cuarto de círculo cóncavo (la mitad de media caña). Hay también molduras mixtas que combinan algunos de los tipos antes mencionados, como la gola o cima recta (un caveto más un cuarto bocel formando una S cuando la parte más saliente es el caveto) o el talón o cima inversa (caveto y cuarto bocel combinados de manera inversa a la gola). Por último, un tipo especial de moldura cóncava es la escocia, formada por dos curvas de diferente radio, que se coloca en la basa de algunas columnas (*véase* órdenes arquitectónicos) con el fin de acentuar el juego de luces y sombras (el nombre deriva de la voz griega *skotios,* es decir, «oscuro»).

monasterio Aunque ya en la Antigüedad se identifican ciertas formas de monacato, hay que esperar a la Edad Media para encontrar verdaderos monasterios o conventos, esto es, conjuntos arquitectónicos que alberguen comunidades de personas sometidas a una serie de votos religiosos. El germen básico de la arquitectura monástica occidental se encuentra en la obra de san Benito de Nursia, fundador de una comunidad de monjes en Monte Cassino (Italia) en el 529 y redactor de unos estatutos o regla, la *Regula Sancti Benedicti*, compuesta por 73 capítulos que definen una meticulosa organización de la actividad monacal. Tanto el papa Gregorio Magno como el emperador Carlomagno contribuyeron decisivamente a la implantación de esta regla benedictina por toda Europa; aunque no contiene referencias específicamente arquitectónicas, sus preceptos determinarán en gran medida los aspectos funcionales de los monasterios occidentales. El documento más antiguo conservado en el que se plasman estos aspectos es el plano del monasterio suizo de Sankt-Gallen, diseñado por Haito entre el 816 y el 837; el monasterio románico* es heredero de estos planteamientos, reafirmados y desarrollados por los monjes de la orden cluniacense (cuyo origen se encuentra en el monasterio de Cluny, en Borgoña), que en el siglo XII contaban con alrededor de 1.500 filiales distribuidas por toda Europa. Los principales elementos que componen un monasterio románico son la iglesia* (para uso de la comunidad, pero con un espacio a los pies reservado para visitantes: nobles, peregrinos y pobres); el claustro (un patio cuadrado o rectangular rodeado de galerías cubiertas –pandas–, y convertido en centro de comunicaciones, de paseo y de meditación;

los capiteles y pilares esculpidos de sus galerías sirven para la difusión de mensajes doctrinales); la sala capitular (en la panda este del claustro, donde el abad reunía a los monjes —los llamaba a capítulo— para darles instrucciones espirituales); el dormitorio colectivo (sobre la sala capitular); el refectorio o comedor colectivo (en la panda sur); la cocina y la cilla o almacén (ambas generalmente en la panda oeste); las dependencias para novicios y para legos (sobre la cilla); la enfermería y los talleres (en torno a las anteriores); y el cementerio (junto al ábside de la iglesia, en la esquina contraria al claustro). Todo el conjunto solía estar rodeado por jardines y huertos y aislado del exterior por un muro; tras éste se extendían fértiles campos de labranza. Los monjes de la orden cisterciense*, creada a finales del siglo XI e impulsada por san Bernardo de Claraval como reacción ante el alejamiento de los principios originales de la regla benedictina por parte de los cluniacenses, adoptaron básicamente el esquema descrito de monasterio románico, eligieron lugares muy apartados para su ubicación y despojaron sus edificaciones de todo elemento decorativo, renunciando expresamente al empleo de imágenes. La orden de los cartujos, fundada por san Bruno también en el siglo XI, introdujo en sus monasterios (las cartujas) una novedad importante: los monjes (un máximo de doce por fundación, posterior-

mente ampliado a veinticuatro) dormían en celdas individuales distribuidas alrededor del claustro; sólo se reunían en determinados momentos del día (durante la misa y en la oración de maitines y vísperas), pasando el resto de la jornada en completa soledad y silencio. Ya en el siglo XIII, el desarrollo de las órdenes mendicantes (franciscanos y dominicos), empeñadas en la predicación itinerante, provocó la creación de muchos monasterios en el interior de los centros urbanos, y algunos de sus elementos estructurales (el claustro, la sala capitular) adquirieron un carácter público o semipúblico. Junto a todas estas variantes de monasterio medieval occidental, cabe mencionar la existencia también de una tipología de monasterio bizantino* (ejemplificada en el conjunto monacal del monte Athos) en la que un recinto amurallado cuadrangular o trapezoidal delimita un gran patio en cuyo centro se levanta la iglesia, y en la que las diversas dependencias (celdas, refectorio, almacenes, talleres, etc.) se disponen adosadas al paramento interior de la muralla.

Movimiento Moderno Término con el que se denomina a la vanguardia* en el campo específico de la arquitectura, aunque también se aplica con frecuencia al diseño*. A veces se emplean términos como «racionalismo» o «funcionalismo» para referirse a este mismo fenómeno, pero ambos tienen el inconveniente de hacer referencia a rasgos específicos que no se tratan de la misma forma en todos los casos, además de ser susceptibles de un uso más genérico y aplicable a otros episodios de la historia de la arquitectura. El Movimiento Moderno abarca todos los movimientos de transformación radical de la arquitectura que se producen en el periodo de entreguerras, en la mayor parte de los cuales tiene una importancia capital la incorporación por parte de los arquitectos del lenguaje formal del arte de vanguardia, especialmente del constructivismo* y el neoplasticismo del grupo holandés De Stijl (*véase* arte abstracto); si tenemos en cuenta que antes de la Primera Guerra Mundial ya estaba disponible casi toda la tecnología luego utilizada por la nueva arquitectura, queda de manifiesto lo decisivo de la influencia de los nuevos lenguajes artísticos. La arquitectura del Movimiento Moderno pretende responder a las exigencias funcionales de la sociedad industrial, ofreciendo soluciones para la ciudad o el alojamiento digno de las clases trabajadoras, pero también proponer un lenguaje arquitectónico representativo de los valores de esa misma sociedad. Las estrategias para conseguirlo fueron diversas; la más característica fue la de concebir el edificio como un organismo racional análogo a la máquina, expresada en la famosa definición de Le Corbusier de la casa como una *machine à habiter* (má-

quina de habitar). Esta idea implica tanto la utilización de elementos y materiales normalizados y producidos en serie para la construcción como una metáfora del funcionamiento de sus espacios, que deben adaptarse a distintos usos y desprenderse de las adherencias representativas propias de la arquitectura tradicional. Hubo también respuestas más individualistas, que entendían la forma arquitectónica como producto de una proyección artística y emotiva, como en la arquitectura expresionista alemana y holandesa (la Escuela de Amsterdam o grupo de Wendingen) de los años veinte; pero en todas ellas subyace el mismo planteamiento funcionalista, la exclusión de todo aspecto decorativo o figurativo, la opción por los materiales industriales y un concepto dinámico y no predeterminado del espacio arquitectónico. Aunque existen manifestaciones en casi toda Europa en las décadas de los veinte y de los treinta, los núcleos fundamentales de la nueva arquitectura están en Francia (sobre todo la obra y la producción teórica del suizo Le Corbusier, tradicionalmente considerado como paradigma de todo el movimiento), la Alemania anterior al nazismo (con figuras como Mies van der Rohe y Walter Gropius, pero sobre todo con la enorme capacidad de irradiación de la Bauhaus, escuela fundada según los principios vanguardistas por Gropius en 1919 que reunió en su claustro a algunos de los más importantes artistas de la vanguardia europea), Holanda (donde al neoplasticismo se unió la herencia del arquitecto modernista Hendrik Petrus Berlage) y la Unión Soviética (donde la revolución otorgó en sus primeros años un papel protagonista a la vanguardia). En Estados Unidos el Movimiento Moderno sigue un modelo autónomo y diferente respecto a Europa: el arte de vanguardia apenas influye, y el principal elemento vertebrador es la obra de Frank Lloyd Wright, que llena la primera mitad del siglo xx con su arquitectura orgánica y conjuga de un modo peculiar las exigencias de la sociedad industrial. En 1928, el arquitecto Ph. Johnson y el crítico H. R. Hitchcock organizan una exposición en el Museo de Arte Moderno de Nueva York con el título «El Estilo Internacional» (término que desde entonces se utiliza a menudo como sinónimo de Movimiento Moderno), donde, a partir de las principales características formales de la nueva arquitectura (cubiertas planas, muros* cortina, planta libre, formas geométricas y abstractas, inspiración maquinista) se redefine el Movimiento Moderno como un lenguaje arquitectónico universal, válido para cualquier lugar independientemente de sus condiciones materiales o culturales; esa interpretación formalista y banalizadora del proyecto vanguardista muestra, sin embargo, que el Movimiento Moderno ya es una realidad asentada en esa fecha. Aunque con frecuencia se utiliza el término en un sentido lato, para referirse a toda la arquitectura del siglo xx deudora de los principios funcionalistas y racionalistas –lo que equivale a decir casi toda la arquitectura moderna, puesto que el Movimiento Moderno sigue siendo hoy el punto de referencia fundamental de la arquitectura contemporánea, a pesar de la permanente revisión y puesta en crisis de sus postulados–, el Movimiento Moderno entendido como fenómeno propio del periodo de entreguerras tiene un perfil propio y diferenciado respecto a sus consecuencias posteriores a 1945. Entre 1928 y 1955 se celebraron los CIAM (Congresos Internacionales de Arquitectura Moderna), en cuyos documentos se sintetiza la evolución del pensamiento arquitectónico del Movimiento Moderno.

mudéjar, arte Se aplica este término a las manifestaciones de la arquitectura y las artes decorativas de la España cristiana medieval que, desde finales del siglo xII y hasta finales del xv (si bien hay muestras hasta el siglo xvI), incorporan, de forma significativa, técnicas y rasgos de estilo propios del arte hispanomusulmán (*véase* islámico, arte). Mudéjares (del árabe *muyyadan)* es el nombre que se daba a los musulmanes asentados en los territorios hispánicos bajo dominio cristiano y, de hecho, la existencia de este arte está estrechamente ligada a la tradición que en estas comunidades tenían buen número de oficios artesanales y, en concreto, a la destreza de sus alarifes en el aparejo del ladrillo. El mudéjar no genera un sistema formal propio, sino que aplica el vocabulario almohade, almorávide y nazarí a tipologías arquitectónicas cristianas, fundamentalmente iglesias (aunque hay importantes conjuntos civiles, como el alcázar de Sevilla, e incluso fortificaciones). No es propiamente un estilo, sino más bien un epifenómeno estilístico, es decir, una variante estilística asociada a otros estilos con entidad propia, en este caso el románico* y el gótico; así, más que de arte mudéjar cabría hablar de románico-mudéjar y gótico-mudéjar, y, en términos generales, de mudejarismo o influencia de los alarifes mudéjares en obras encargadas por clientes cristianos. La arquitectura mudéjar produce iglesias sencillas de fábrica de ladrillo, material en el que se basa su repertorio decorativo de arquerías ciegas, ladrillos dispuestos en esquina y motivos de *sebka* o red de rombos en los muros exteriores de ábsides y campanarios; las cubiertas de madera dan lugar a la rica tradición de los artesonados españoles, y los interiores se blanquean de yeso y se decoran con paneles de tracería con motivos vegetales. Aunque se da en muchas zonas de España, los focos más característicos están en Toledo, en el siglo XIII (sinagoga de Santa María la Blanca, iglesia de Santiago del Arrabal), y Aragón, en el siglo XIV (iglesia de San Pedro y torre de San Martín, ambas en Teruel).

muro Se llama así a la pantalla vertical y continua (derecha o curva) que delimita o subdivide el espacio en arquitectura. Los muros de un edificio pueden ser interiores o exteriores; la parte externa de estos últimos, articulada de manera significativa, compone las distintas fachadas del mismo. Tanto unos como otros pueden limitarse a acotar y definir un espacio (muros de cerramiento) o servir además de soporte continuo a las estructuras que se elevan sobre ellos (muros portantes o de carga). Cuanto más utilice un edificio los muros portantes como sistema constructivo, más maciza será su apariencia y mayor el predominio de la masa sobre los vanos*; a ese tipo de construcciones se les denomina arquitecturas u obras de fábrica. Llamamos paramento a cada una de las caras exteriores de un muro, y aparejo a la estructura o disposición constructiva del mismo; los distintos tipos de aparejo vendrán, por tanto, determinados por el material que utilicen y la manera de disponer sus distintas piezas, y cada uno de ellos dará lugar a un paramento característico. Los romanos –que se distinguieron por su capacidad innovadora en el ámbito de la construcción– llamaron *opus* a distintas técnicas y combinaciones en el uso de los materiales, entre ellas muchos tipos de aparejos que ha seguido utilizando la arquitectura posterior; como esa terminología romana todavía se usa, damos entre paréntesis las denominaciones latinas de algunos de los principales aparejos. Se llama sillería o aparejo regular *(opus quadratum)* al de sillares (bloques regulares de piedra labrados en forma de paralelepípedo) dispuestos regularmente (bien aparejados) en bandas horizontales superpuestas (*(hiladas)*; al arte de tallar la piedra para la construcción se le llama cantería (de ahí que se llame «obra de cantería» a las fábricas de sillería), y al de su corte preciso y ajustado montea o estereotomía; un aparejo de sillería es isódomo cuando todos sus sillares son iguales, y pseudoisódomo cuando presenta hiladas regulares de distintas alturas alternativas; lo sillares pueden disponerse a soga (con su cara más larga del lado del paramento, también llamado aparejo «de cítara» o «de media asta»), a tizón (con la cara más corta del lado del paramento, también llamado aparejo «de llaves») o a soga y tizón (alternando ambas disposiciones sillar a sillar, también llamado aparejo diatónico). El aparejo ciclópeo está formado por grandes bloques de piedra sin argamasa entre ellas; de él deriva el aparejo rústico (los sillares no se tallan ni pulen salvo en sus bordes para permitir así el ajuste de las juntas; puede adoptar distintas formas según el modo de tallar los bordes, y de él derivan a su vez otras versiones en las que la parte central del sillar se labra en forma de almohadilla, punta de diamante, etc.). El sillarejo es el aparejo de sillares pequeños y de tosca labra. La mampostería *(opus incertum)* apareja piedras irregulares (mampuestos) ajustándolas por medio de piedras más pequeñas (ripios) con las que se rellenan los intersticios; cuando no se añaden ripios, el aparejo se llama de mampostería concertada. Los sillares pueden disponerse también formando un paramento de red de rombos *(opus reticulatum),* o tallarse de formas poligonales diversas pero de igual altura alternando regularmente con otros de mayor altura que desempeñan una función similar a la de un arco* de descarga (aparejo poligonal). Los muros de fábrica de ladrillo *(opus latericium)* se aparejan siempre de forma regular, puesto que las piezas se hacen con molde y son idénticas entre sí; a veces se colocan de canto (a sardinel) o formando ángulos agudos, en forma de espina o espiga *(opus spicatum)*. Hay también aparejos mixtos *(opus mixtum)* que combinan el ladrillo con el sillar o la mampostería; un ejemplo singular de esto último es el llamado aparejo toledano, que alterna zonas de mampuesto separadas por bandas (verdugadas) de ladrillo. A veces, los muros de carga se refuerzan con estribos o contrafuertes, una suerte de pilares muy robustos que se adosan al muro en los lugares en que éste soporta mayores empujes; cuando el estribo está separado del muro y el empuje se canaliza hacia él por medio de un arbotante, como ocurre en la arquitectura gótica, se llama botarel.

Las estructuras autoportantes alcanzan un gran desarrollo con la extensión del uso de nuevos materiales (hierro, acero, hormigón) a partir de la Revolución Industrial, con lo que el muro va perdiendo su función de soporte y cada vez se ciñe más a su condición original de cerramiento. El caso más extremo es el del llamado muro-cortina, uno de los elementos más característicos de la arquitectura de vanguardia en el siglo xx; se llama así a un muro exterior, a menudo de grandes dimensiones (se utiliza con frecuencia en rascacielos*), que está sujeto o colgado de la estructura del edificio y carece por completo de condición portante; estos muros permiten su total acristalamiento, o bien la apertura de vanos horizontales que abarquen toda la anchura de fachada.

N

naturaleza muerta Género pictórico que se caracteriza por la representación de objetos inanimados (animales muertos, vegetales, viandas, vajilla, cacharrería, objetos de fumador, de escritorio, instrumentos musicales, etc.) en un interior. El término, al parecer, se generalizó en el siglo XVIII, aunque el género es al menos dos siglos más antiguo. Su máximo desarrollo coincide con el momento de mayor esplendor de las escuelas pictóricas española y holandesa en el siglo XVII; en ambos casos tiene la consideración de género menor (incluso más que el retrato*, el paisaje* o la pintura* de género), destinado a una clientela privada y relativamente modesta, frente a los grandes temas pictóricos por excelencia, que son los religiosos, históricos y mitológicos, encargados por la Iglesia, la corte, los grandes mecenas* aristocráticos o las instituciones públicas. Precisamente esa consideración marginal respecto a la tradición pictórica hizo de la naturaleza muerta un género atractivo para pintores y tendencias modernos que, a partir de la segunda mitad del siglo XIX, se interesan más por los mecanismos de representación específicos de la pintura que por su contenido iconográfico y narrativo; ése es el caso de Manet, Cézanne y, muy especialmente, Picasso y Braque en la etapa de gestación del cubismo*. En España, a la naturaleza muerta se le suele llamar bodegón, aunque el uso ha vinculado este término sobre todo a los ejemplos de los siglos XVI, XVII y XVIII, en los que las viandas y utensilios de cocina son los motivos más frecuentes (en la España del siglo XVII se llamaba a estos cuadros «cocinas»), prefiriéndose la expresión «naturaleza muerta» para contextos artísticos modernos. Otra variedad característica (aunque no exclusiva) de la pintura holandesa y española del XVII es la *vanitas,* naturaleza muerta alegórica en la que los distintos objetos representados (relojes, joyas, libros, monedas) aluden a lo pasajero de la vida humana y de las cosas del mundo en general; a menudo, la presencia de una calavera introduce de forma explícita la referencia a la muerte *(memento mori)*. El nombre procede de la versión latina del segundo versículo del Eclesiastés: «Vanidad de vanidades, dice Cohelet. Vanidad de vanidades; todo es vanidad *(vanitas vanitatum, et omnia vanitas).»*

naturalismo En sentido general, este concepto abarca a las tendencias artísticas que propugnan la representación fiel de los objetos tal como los percibimos a través de los sentidos, percepción que, a menudo, se identifica sin más con la forma que éstos tienen *realmente* en la naturaleza. Lo opuesto al naturalismo sería el idealismo, es decir, la representación de la naturaleza conforme a sus arquetipos o formas genéricas, que no podrían aprehenderse a través de los sentidos sino por vía intelectual y donde residiría la belleza y la perfección; de este modo, las formas que percibimos en nuestra experiencia común no serían sino manifestaciones particulares y degradadas de esas formas ideales y, en el mejor de los casos, un punto de partida para llegar a éstas, verdadero objetivo del arte. Entendidos de esta manera, naturalismo e idealismo podrían combinarse en dosis variables en una misma tendencia artística, cosa que ocurre con frecuencia; el arte griego*, y, en general, el derivado del clasicismo*, son en último término idealistas, pero proponen el estudio y la observación de la naturaleza como única vía para aproximarse a los arquetipos; la mera imitación de las formas de la naturaleza no sería suficiente para el arte, que debería someterlas a un proceso intelectual de idealización y estilización para hallar en ellas lo que hay de genérico, es decir, de arquetípico. El primero que utilizó el término naturalismo para designar a una tendencia artística fue el tratadista italiano del siglo XVII Giovanni Bellori para referirse a la pintura de Caravaggio y sus seguidores (*véase* barroco), que practicaban una imitación fiel de la naturaleza (especialmente en la representación de la fisonomía y las expresiones del cuerpo y el rostro humanos) sin estilización ninguna; Bellori, que se inscribe en la ortodoxia clasicista, rechazaba este planteamiento que, en buena medida, representa una actitud anticlasicista. En el siglo XIX el término se emplea sobre todo en el ámbito de la literatura, referido al realismo extremo que defendían para la novela escritores como Émile Zola; estas posturas de origen literario influyeron sobre la pintura realista de la segunda mitad de ese siglo, por lo que a veces se utiliza el término naturalismo como sinónimo de realismo*. Ambos conceptos no son, sin embargo, equivalentes: el realismo implica una postura naturalista, pero también hay naturalismo en distintos grados en muchas otras corrientes artísticas que de ningún modo son realistas, como el fauvismo* o el cubismo*.

neoclasicismo Durante el último cuarto del siglo XVIII y las primeras tres décadas del XIX surgen en Europa y Estados Unidos diversos episodios artísticos y arquitectónicos que reinterpretan el clasicismo* de un modo más austero, riguroso y racional que el característico del barroco* dieciochesco y el rococó*. Estos episodios se engloban bajo la denominación común de neoclasicismo, y buena parte de ellos guardan relación con la cultura contemporánea de la Ilustración; por eso, el neoclasicismo será la corriente artística dominante en las cortes del despotismo ilustrado (Carlos III en España, Federico II en Prusia, Catalina la Grande en Rusia) o las repúblicas revolucionarias (Francia después de 1789, Estados Unidos). El término no empezará a usarse hasta mediados del siglo XIX, con un sentido menospreciativo que lo identifica con academicismo (*véase* Academia) y arte oficial, frío y carente de imaginación. Por esa razón se ha entendido a menudo como una categoría artística opuesta al Romanticismo*, fenómeno prácticamente contemporáneo del que no está separado por fronteras nítidas; la oposición entre clásicos y románticos es en realidad un debate propio del ámbito francés hacia 1830, donde se polarizó en torno a las figuras de Ingres y Delacroix, pero es ajeno a la situación real en el siglo XVIII o a la de los países de la Europa central y del norte. Algunas de las ideas artísticas centrales del neoclasicismo fueron enunciadas por J. J. Winckelmann, historiador y erudito alemán establecido en Roma, en sus obras *Meditaciones sobre la imitación de las obras griegas en la pintura y la escultura* (1755) e *Historia del arte de la Antigüedad* (1764); Winckelmann proclamaba la superioridad del arte griego y, especialmente, de su escultura, paradigma de «la noble sencillez y serena grandeza» en que cifraba la aspiración ideal de las artes. Por entonces se publicaron colecciones de láminas que reproducían fielmente por primera vez las antigüedades griegas y, en concreto, el Partenón, y las excavaciones de Herculano y Pompeya, iniciadas en 1748, permitieron descubrir la pintura romana, de la que casi no se conocían ejemplos. Todo ello produjo un mayor rigor arqueológico en el uso de los modelos clásicos, aunque su consecuencia más trascendente fue que la Antigüedad grecorromana dejó de verse como una referencia mítica y unitaria ante la evidencia de que era una realidad histórica sujeta a variaciones; esta mentalidad llevaría, en un primer momento, a una imitación histórica más rigurosa, pero también a una cierta relativización que abre la puerta al interés por otros estilos históricos, como los medievales, hasta entonces excluidos del canon.

La pintura neoclásica se caracteriza por un extremado protagonismo del dibujo y el modelado frente al color (fruto de la influencia del paradigma escultórico planteado por Winckelmann), una clara preferencia por temas clasicistas de matiz heroico y ejemplar, y una aversión manifiesta por el ilusionismo* efectista del barroco; sin embargo, hay notables diferencias entre el estilo más liviano e italianizante del bohemio Anton Rafael Mengs (miembro del círculo de Winckelmann en Roma que trabaja en la corte sajona de Dresde y en Madrid) y la fría sobriedad del francés Jacques-Louis David (comprometido con los ideales revolucionarios y napoleónicos, y partidario de una lectura cívica y moralizante de la historia de Roma). La escultura sigue también la orientación winckelmanniana y acusa una estilización idealizante en figuras de mármol de superficies suaves y lisas; sus principales representantes son el italiano Antonio Canova, el danés Berthel Thorvaldsen y el inglés John Flaxman, también famoso por sus grabados de línea sobre temas homéricos. La arquitectura ofrece un panorama más diverso: de la influencia ilustrada provienen la importancia concedida a las obras públicas y las nuevas tipologías relacionadas con la ciencia y la instrucción pública, como museos, observatorios astronómicos y jardines botánicos; un nutrido plantel de teóricos se pregunta por los primeros principios de la arquitectura y defiende el predominio del orden, la claridad y la razón, más allá incluso de la fidelidad a los antiguos, con una variedad de matices que va desde el academicismo de Jacques-François Blondel al funcionalismo radical de Marc-Antoine Laugier o Carlo Lodoli; la práctica arquitectónica tiende a un uso más racional y atenido a criterios funcionales de los modelos antiguos, y también a

un mayor rigor arqueológico en el uso de los órdenes*, que ahora incluyen las modalidades griegas recién descubiertas, sobre todo el dórico del Partenón (ese fenómeno es particularmente intenso en Inglaterra, donde se le llama *Greek Revival);* pero la arquitectura neoclásica también admite experiencias ajenas a la ortodoxia, como la arquitectura visionaria de los franceses Étienne-Louis Boullée y Claude-Nicolas Ledoux, o la alternancia del rigorismo clasicista con edificios neogóticos del alemán Karl Friedrich Schinkel y el inglés John Soane. También existen importantes episodios vinculados al neoclasicismo en el ámbito de las artes decorativas, como el estilo Luis XVI (que simplifica las formas del mobiliario rococó francés hacia 1775 y las sustituye por otras más sobrias y rectas), el estilo Imperio (característico de la época napoleónica en Francia, con sus recreaciones de muebles y motivos romanos que se difunden por toda Europa y América), o las porcelanas de las manufacturas reales de las cortes europeas o de manufacturas privadas como la de Wedgwood en Inglaterra.

neoconcreto, arte Aunque no se trata de una denominación consagrada por la historiografía del arte, algunos historiadores y críticos utilizan el término «arte neoconcreto» para agrupar una serie de tendencias artísticas abstractas desarrolladas a partir de la década de 1950 (y sobre todo en la de 1960) como reacción a las premisas subjetivistas del informalismo*, y que se caracterizan por la afirmación de la impersonalidad de la obra de arte y su carácter analítico-científico. Entre ellas se encuentran las manifestaciones abstractas no informalistas desarrolladas en Estados Unidos en la década de los sesenta (como la *Hard Edge Painting*), el *Op Art* y el arte cinético. Los términos *Hard Edge Painting* («pintura de contornos marcados») y *Post-painterly Abstraction* («abstracción postpictórica») remiten a un tipo de pintura que sustituye el empleo de una pincelada expresiva por la composición de áreas cromáticas claramente definidas, desprovistas de cualidades texturales o matéricas, y entre cuyos principales representantes se encuentran Morris Louis, Ellsworth Kelly, Kenneth Noland y Frank Stella. El *Op Art* («arte óptico») es una tendencia desarrollada sobre todo en Europa que insiste en convertir determinados fenómenos perceptivos visuales en el tema de las obras de arte. Los artistas ópticos seleccionan un repertorio de signos geométricos y cromáticos, y construyen con ellos estructuras repetitivas y sistemas seriales, siempre de acuerdo con criterios racionales, basados en los códigos científicos de la óptica y la matemática. Llevan a cabo distintos tipos de combinaciones (modificación paulatina de una figura, interacción de diferentes colores, cambio de una figura por otra, interrupciones) y juegan con efectos de simetría*, rotación, inversión, reflejo, etc. En general, todos estos recursos plantean al espectador la existencia de una discrepancia entre la realidad física de la obra y su efecto óptico: las superficies planas cobran apariencia tridimensional, la persistencia retiniana provoca la visión de «postimágenes» inexistentes, la superposición de franjas produce el llamado efecto moaré, o la yuxtaposición de colores provoca contrastes simultáneos. Dos artistas europeos se consideran tradicionalmente como los pioneros del arte óptico: el alemán Josef Albers y el húngaro Victor Vasarely. El arte cinético, por último, es una modalidad de arte óptico que introduce el movimiento real como elemento plástico determinante en la obra; se afianza como tendencia a partir de la exposición «Le Mouvement», celebrada en la galería René Denise de París en 1955. Presenta dos modalidades fundamentales: la propiamente «cinética» (en la que a su vez cabe distinguir entre los móviles, relativamente azarosos, y las construcciones accionadas por fuerzas electromagnéticas o motores, más previsibles) y la denominada «lumínica», en la que la luz es el recurso artístico fundamental. Muchos de los principales artistas ópticos se han especializado en experiencias cinéticas.

O

obelisco Monumento formado por un monolito en forma de pilar de sección cuadrada o rectangular, con remate piramidal y asentado sobre un pedestal o base cuadrada. Los obeliscos son una creación de los egipcios, quienes los decoraban con jeroglíficos y los colocaban a la entrada de los templos funerarios, haciendo alusión a la idea de inmortalidad (*véase* arte egipcio). Posteriormente, los romanos se apropiaron de algunos de ellos en sus campañas militares y los emplearon para decorar la Roma imperial; a partir de entonces y conservando en ocasiones su simbología funeraria, fueron asimilados por la tradición arquitectónica clásica, siendo especialmente utilizados durante el barroco* y el neoclasicismo*.

Op Art Véase arte neoconcreto.

órdenes arquitectónicos En arquitectura, se llama orden al conjunto formado por una columna (*véase* soportes arquitectónicos) y la parte de entablamento que ésta sostiene, es decir, la porción de los distintos elementos horizontales que quedan justo encima de ella. Los antiguos griegos utilizaron en la construcción de sus templos (*véase* templo grecorromano) tres tipos de órdenes diferentes, luego adoptados, con ciertas modificaciones, por los romanos. La primera y única descripción antigua que nos ha llegado de ellos está en los libros III y IV de *De Architectura Libri Decem,* el tratado escrito por el arquitecto romano Vitruvio en el siglo I a.C.; Vitruvio describe los tres órdenes griegos (dórico, jónico y corintio) y el orden *toscano,* una variedad itálica que se asemeja al dórico. Ya en el siglo XV, Leon Battista Alberti, en su tratado *De Architectura,* recoge la información de Vitruvio y la corrige con sus propias observaciones de las ruinas romanas, añadiendo un orden más, el compuesto. Por fin, en 1537, Sebastiano Serlio presenta estos cinco órdenes (toscano, dórico, jónico, corintio y compuesto) como una secuencia cerrada y ordenada (del más robusto al más estilizado) que serviría de referencia a los tratadistas clásicos posteriores, si bien ya se había publicado algún tratado centrado en la cuestión de los órdenes con anterioridad *(Medidas del Romano,* del español Diego de Sagredo, en 1526). La manera más inmediata

Orden dórico

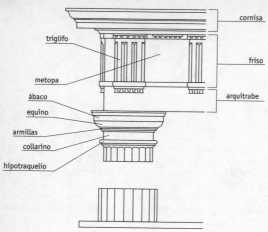

cornisa

triglifo

friso

metopa

arquitrabe

ábaco

equino

armillas

collarino

hipotraquelio

Orden jónico

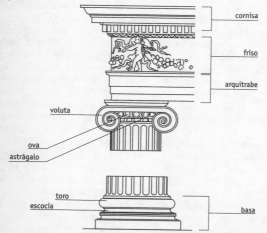

cornisa

friso

arquitrabe

voluta

ova

astrágalo

toro

escocia

basa

FIGURA 4. Órdenes arquitectónicos.

Orden corintio romano

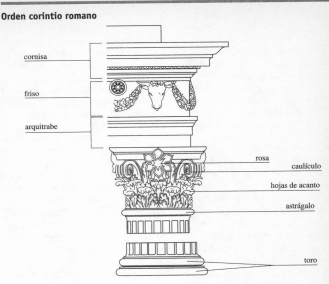

cornisa

friso

arquitrabe

rosa

caulículo

hojas de acanto

astrágalo

toro

FIGURA 4. Órdenes arquitectónicos *(continuación)*.

de distinguir un orden de otro es atender a la forma de sus distintas partes, especialmente el capitel; sin embargo, su trascendencia es mucho mayor que la de una mera cuestión decorativa. Aunque haya diferencias en el canon que cada autor (o cada arquitecto en su obra construida) propone para cada uno de los cinco órdenes, éstos se componen siempre con un determinado criterio proporcional: la altura del fuste de las columnas debe contener un cierto número de veces el capitel, y ambos elementos determinan también la configuración de las distintas partes del entablamento (arquitrabe, friso y cornisa), tanto en sus proporciones como en su ornamento. También el intervalo entre las columnas (intercolumnio) debe contener un determinado número de veces el diámetro de la misma; casi todos los tratadistas contemplan cuatro tipos fundamentales de intercolumnio: picnóstilo (1,5 diámetros), sístilo (2), éustilo (el más común; 2,5), diástilo (3) y aeróstilo (4). Por todo ello, es evidente que el empleo de un orden u otro determina las proporciones* generales del edificio. En Grecia los órdenes estaban vinculados casi exclusivamente a la arquitectura arquitrabada del templo, donde las columnas eran el principal soporte; los romanos, en cambio, asocian con frecuencia los órdenes al arco, con lo que la columna apenas tiene valor sustentante, pero conserva su capacidad reguladora de las proporciones del edificio y se convierte en su principal elemento expresivo: está allí porque en los órdenes radica la perfección y la dignidad artística de la arquitectura. La tradición del clasicismo* en arquitectura adopta los órdenes con un criterio similar a partir del Renacimiento*, haciendo de ellos la gramática esencial de su lenguaje arquitectónico («algo tan inamovible –según John Summerson– como las cuatro conjugaciones latinas»); además, como Vitruvio hacía derivar los órdenes de los primeros templos construidos en madera y, en última instancia, de la cabaña primitiva, sus proporciones se basarían de algún modo en la naturaleza, lo que refuerza aún más su prestigio. La descripción de los distintos órdenes varía de unos autores a otros incluso en nuestros días, por lo que aquí sólo se enuncian algunos de sus rasgos más destacados. El dórico es el orden más antiguo y el más simple y robusto de los tres griegos; el fuste es más ancho por abajo que por arriba (estrechamiento que recibe el nombre de éntasis) y tiene acanaladuras verticales cortadas en arista viva; en Grecia carece de basa, aunque posteriormente se le añade con frecuencia; el capitel está formado por un ábaco (bloque

en forma de paralelepípedo no muy grueso entre la columna y la base del arquitrabe), bajo el cual se coloca una moldura redonda en voladizo llamada equino; una serie de anillos o armillas da paso al collarino, zona de transición al fuste, del que viene separada por otro grupo de anillos o molduras llamado hipotraquelio; el arquitrabe es liso y, por encima de él corre el friso, donde alternan los triglifos (acanaladuras verticales y paralelas separadas por molduras) y las metopas (espacios cuadrados que en el templo griego se decoran con relieves); la configuración del friso dórico es fruto de la estilización del juego de las cabezas de las vigas transversales en los primitivos templos de madera; en los templos griegos del sur de Italia se da una variante del dórico, con éntasis muy pronunciado en los fustes y ábacos y equinos muy desarrollados, que se conoce como orden de Paestum, muy imitado en el siglo xviii, durante el neoclasicismo*. El toscano es un orden de origen etrusco que guarda relación con el dórico; el ábaco y el equino tienen menos vuelo que en éste, y el fuste suele tener basa y ser liso, como el arquitrabe y el friso, aunque en Roma tomen a veces elementos del entablamento dórico; es el más achaparrado de los cinco órdenes. El jónico tiene su origen en Asia Menor y es más estilizado que el dórico, aunque de canon robusto; el fuste tiene basa y acanaladuras, aunque sus aristas están rebajadas por una moldura recta; el elemento principal del capitel son las dos amplias volutas en espiral que enmarcan el equino, decorado con un motivo ovoide seriado al que se llama ovas; el arquitrabe se divide en tres bandas, y el friso es continuo y recibe a veces esculturas en relieve; las ovas, combinadas con otro motivo lanceolado (dardos o flechas), puede encontrarse también en la cornisa y en las molduras de la basa. El corintio surge más tarde que el dórico y el jónico y probablemente deriva de este último; el fuste y la basa son similares a las jónicas, y el capitel, más alto, es una sucesión de hojas de acanto rematada por dos caulículos o volutas más pequeñas que las jónicas entre las que a veces aparece una rosa o una palmeta; una moldura curva llamada astrágalo separa el capitel del fuste; el arquitrabe está moldurado, y el friso es liso y admite decoración escultórica. El compuesto, por último, es un orden descrito por vez primera por Alberti y consagrado por Serlio (Vitruvio no lo menciona); es más alto que los demás y mezcla elementos jónicos y corintios.

Entre los siglos xv y xix se dan múltiples variantes de los cinco órdenes e incluso mezclas entre elementos de uno y otro; también se inventaron órdenes nuevos, aunque nunca se les reconoció la validez universal de los cinco clásicos, cuya gramática formal se extendió con frecuencia a soportes distintos de la columna, como pilastras balaustres. Los romanos fueron los primeros en disponerlos juntos en un mismo edificio, superponiéndolos por pisos, como en el Coliseo. En el siglo xvi Miguel Ángel empleó por primera vez un orden que abarcaba más de un piso de ventanas, variante que desde entonces se llama orden gigante o colosal.

P

paisaje Las representaciones pictóricas de la naturaleza son casi tan antiguas como el arte mismo, pero el paisaje entendido como género artístico autónomo, es decir, no subordinado a la expresión de contenidos religiosos, políticos, históricos o mitológicos, es una creación específicamente moderna. La tradición clásica consideraba la naturaleza como un mero escenario en el que ocasionalmente podían transcurrir episodios de interés doctrinal o moral, pero no contemplaba la posibilidad de representarla al margen de dichos episodios. Esta idea subyace incluso en imágenes paisajísticas aparentemente neutras, como algunos frescos pompeyanos o las representaciones medievales de las labores de los doce meses del año o las cuatro estaciones. Habrá que esperar al siglo XVI para encontrar las primeras representaciones paisajísticas puras (Leonardo, Durero), pero incluso muchas de ellas no superan el estadio de bocetos o dibujos preparatorios para obras de mayor calado conceptual. El término «paisaje» comienza a utilizarse para referirse a determinadas composiciones pictóricas en la Venecia de la segunda mitad del siglo XVI, donde algunos pintores dotan a los escenarios naturales de sus composiciones de un protagonismo que supera al de las figuras que contienen (un claro ejemplo es el cuadro *La tempestad* de Giorgione); algo similar ocurre durante el barroco* con los paisajes clasicistas italianos o franceses (Claudio de Lorena, Poussin) que, sin embargo, no dejan de remitir a la imagen mitológica de una Arcadia perdida. La gestación del paisajismo contemporáneo se produce en el siglo XVII en Holanda, donde un amplio público burgués comienza a demandar a los pintores representaciones más veraces de la naturaleza: vistas topográficas que se recrean en los efectos atmosféricos, los reflejos luminosos sobre el agua (sobre todo en las marinas, paisajes con barcos en el mar) o los detalles de la vegetación, en cuya elaboración se utilizan apuntes del natural e incluso la cámara oscura (*véase* fotografía). Durante el siglo XVIII, ciertos pintores venecianos (Canaletto, Guardi) crearán el correlato urbano de los paisajes naturales de los holandeses en sus *vedute* (*véase* ro-

131

cocó). Algunas de estas imágenes topográficas holandesas e italianas, no obstante, dejan traslucir el filtro subjetivo de una sensibilidad protorromántica (Ruysdael), y anuncian el fructífero desarrollo del paisajismo durante el Romanticismo*, época en la que las representaciones de la naturaleza abandonan su carácter subsidiario y se convierten en máxima expresión pictórica. Realismo y subjetivismo recorrerán la fructífera historia del paisajismo durante los siglos XIX y XX, cuyos principales episodios serán protagonizados por los integrantes de la Escuela de Barbizon, Corot, los impresionistas y postimpresionistas, los expresionistas, los fauves y los cubistas.

paleocristiano, arte Se denomina así a las primeras manifestaciones del arte cristiano en el ámbito del Imperio romano, tanto las que se producen en la clandestinidad, antes de que el emperador Constantino decretara la libertad de culto (Edicto de Milán, 313), como las que tienen lugar después, a lo largo de los siglos IV y V. Su límite cronológico viene dado por la deposición del último emperador de Occidente en el 476, momento en que se inicia un proceso de diversificación artística en los territorios del Imperio, controlados ahora por los invasores germánicos, que da lugar a los distintos episodios del arte prerrománico*; también en el Imperio de Oriente, y hasta su extinción en

1453, el arte cristiano seguirá su propio camino después del siglo V: el arte bizantino*. Desde el punto de vista formal y estilístico, la arquitectura y el arte paleocristianos se adaptan a las pautas comunes del arte tardorromano (*véase* arte romano). Su principal aportación radica, por una parte, en la creación de una iconografía* sagrada y, por otra, en la creación de nuevas tipologías arquitectónicas; innovaciones derivadas de la necesidad de satisfacer las obligaciones del culto de la nueva religión. Sus primeras manifestaciones se encuentran en las catacumbas (como las de San Calixto, San Sebastián y Vía Latina, en Roma), recintos subterráneos que servían al tiempo de lugar de reunión, refugio y enterramiento a las primeras comunidades cristianas en los siglos III y IV, y que consisten en galerías a las que se abren cámaras *(cubiculi)* donde se ubican tumbas y pinturas al fresco. La principal creación arquitectónica paleocristiana, ya en los siglos IV y V, es, sin embargo, la configuración del templo cristiano o iglesia* a partir de la tipología civil de la basílica romana. En cuanto a las artes plásticas, las primeras muestras aparecen en los frescos de las catacumbas, en los relieves que adornan los frontales de los sarcófagos y, más tarde, en los mosaicos que decoran las cabeceras de las iglesias, los baptisterios y los mausoleos. No se trata tanto de imágenes devocionales (se hace notar la prevención de la tradición judaica frente a la idolatría) como de instrumentos de la pedagogía teológica. En las catacumbas y en los sarcófagos del siglo III predomina un simbolismo hermético, acorde con el carácter mistérico de la nueva religión, que sólo los iniciados en la fe pueden descifrar. Los temas giran en torno a la salvación y la intervención de la gracia divina, como el de Jonás y la ballena (Sarcófago de Santa María la Antigua, Roma, h. 270), o la orante (figura femenina recurrente en frescos catacumbarios y sarcófagos que, con la cabeza cubierta y las manos alzadas, simboliza el alma del creyente que aspira a la gracia). También aparecen ahora las primeras representaciones de Cristo*, bien por medio de imágenes cifradas como el pez (las letras de su nombre en griego son las iniciales de «Jesucristo Hijo de Dios Salvador») o anagramas como el crismón, bien a través de la adaptación de iconografías grecorromanas previas, como la imagen exenta del Buen Pastor del Museo Laterano (siglo III). Los mosaicos, ya en los siglos IV y V, muestran iconografías de mayor desarrollo narrativo que darán la pauta de muchas de las del arte cristiano medieval, como en Santa Prudenciana, el mausoleo de Santa Constanza (ambas en Roma) o el de Gala Placidia, en Ravena.

perspectiva Derivado del latín *perspicere* («ver claramente»), el término perspectiva comienza a utilizarse en la Italia del siglo XV para referirse a la ciencia encargada de la representación del espacio sobre una superficie pictórica. Aunque a lo largo de la historia se han ideado numerosos sistemas de representación espacial sobre el plano, comúnmente se tiende a identificar el concepto de perspectiva con uno de esos sistemas, la perspectiva lineal (también llamada geométrica o monofocal). En ella, el tamaño de los elementos representados disminuye en función de su alejamiento del espectador (es decir, lo más cercano se representa más grande y lo más lejano, más pequeño), siguiendo una serie de líneas de fuga que confluyen en un único punto (el punto de fuga). Para que la representación sea creíble, para tener la impresión de que existe una continuidad entre nuestro espacio y el espacio del cuadro, el espectador debe situarse en un punto de vista concreto, fijo y estable, y el punto de fuga debe estar situado a la altura de sus ojos. Aunque la visión humana es bifocal, esférica y dinámica, tradicionalmente se ha tendido a identificar este sistema con nuestra experiencia óptica, y de ahí su éxito y difusión. Sin embargo, cada época ha tenido diferentes concepciones del espacio y ha recurrido a distintos métodos para plasmarlo, en general más intuitivos y menos codificados. Las culturas preclásicas han rechazado la representación sistemática del espacio y han recurrido a procedimientos como la perspectiva jerárquica, por la que las figuras se representan con mayor o menor tamaño dependiendo de su *status* social, o la perspectiva torcida, que presenta ciertos elementos anatómicos de perfil y otros de frente. Es posible que en el mundo clásico se conociera ya la perspectiva lineal (así parece deducirse del tradado *De Architectura* de Vitruvio), pero lo cierto es que en la mayor parte de las obras conocidas encontramos una aproximación más intuitiva y empírica a la representación espacial que ha dado en llamarse perspectiva curva o sintética. En la Edad Media, el rechazo generalizado del naturalismo* y la insistencia en los valores superficiales determinan el desinterés por la representación de la profundidad espacial. Sin embargo, a partir del *trecento* encontramos de nuevo tentativas más o menos empíricas de representación del espacio, y artistas como Giotto o Duccio aplican esquemas perspectivos con varios puntos de fuga en una misma obra (en ocasiones superpuestos en el centro de la composición, creando un esquema de líneas de fuga «en espina de pez») o invierten los términos de la perspectiva lineal, presentando líneas de fuga que divergen en profundidad en vez de converger en el punto de fuga (perspectiva inversa o invertida). El pintor sienés Ambrogio Lorenzetti será el primero en construir una escena con un único punto de fuga en su *Anunciación* de 1344. Los primitivos flamencos utilizaban

métodos empíricos para la representación espacial; son frecuentes sus representaciones en perspectiva caballera o «a vista de pájaro» (la que se obtiene desde un punto de vista ligeramente elevado, como si se estuviera montado en un caballo). El proceso culmina en el *quattrocento* italiano, cuando la perspectiva se convierte en una verdadera ciencia matemática que persigue la sistematización metódica de todo el mundo visible, tal como ponen de manifiesto los tratados de Leon Battista Alberti. Sin embargo, no todos los artistas de la época asumen de igual manera la nueva consideración científica de la perspectiva; Leonardo da Vinci opta por una defensa de la perspectiva curva o sintética y plantea en sus escritos un enfoque visual más fenoménico: «la perspectiva (...) se divide en tres partes principales, de las cuales la primera se ocupa de la disminución del tamaño de los cuerpos en diferentes distancias; la segunda parte es la que trata de la disminución de los colores de dichos cuerpos; la tercera, de la disminución de la perceptibilidad que sufren según las distancias». Las dos últimas partes de la cita remiten a lo que ha dado en llamarse perspectiva aérea, que determina una difuminación progresiva de los objetos a medida que se alejan del espectador; los contornos y las formas se desdibujan y los colores pierden intensidad por efecto de las capas de aire interpuestas. También Leonardo es el primero en realizar anamorfosis, una especie de representaciones deformadas de un objeto que adquieren sentido sólo si se las contempla desde un punto de vista específico, y que cobrarán especial auge durante el siglo XVI en el norte de Europa. A partir del *cinquecento* la perspectiva no se limita a ser un método científico destinado a la aprehensión de la realidad, sino que se convierte en ocasiones en un recurso para la seducción y el engaño; el desarrollo del ilusionismo*, que alcanzará su culminación en la pintura barroca de los siglos XVII y XVIII, pondrá de manifiesto esta vertiente paradójica de la representación en perspectiva. Con diversos matices, la perspectiva renacentista será un recurso omnipresente en las representaciones pictóricas del arte occidental hasta la irrupción de las vanguardias*, e incluso actualmente muchos artistas siguen sirviéndose de ella cuando elaboran sus imágenes.

pintura Representación artística en dos dimensiones basada en la aplicación de pigmentos sobre una superficie plana. A diferencia de la arquitectura y la escultura, que actúan sobre un espacio tridimensional real, la pintura es un arte estrictamente bidimensional y sus implicaciones espaciales son ilusorias. Paradójicamente, la tradición artística clásica ha convertido dichas implicaciones en la meta fundamental de la pintura, orientando sus desarrollos formales hacia la ficción de la tercera dimensión sobre un plano. La idea clásica de la pintura como una ventana ilusoria recorre la mayor parte de su historia, al menos hasta la llegada de las vanguardias*, algunos de cuyos miembros insistieron en devolver al género su verdadera entidad bidimensional. El otro gran rasgo distintivo de la pintura frente a la escultura y la arquitectura es la relativa inmediatez de su realización. Aunque la creación de una pintura suele implicar un proceso con distintas fases (apunte o boceto, selección de materiales y formato, preparación del soporte, realización pautada de la obra, arrepentimientos, correcciones que con el tiempo pueden llegar a hacerse visibles en la superficie pictórica), a diferencia de los escultores y, sobre todo, de los arquitectos, los pintores no precisan de complejas intermediaciones técnicas (como el sacado de puntos o el vaciado escultóricos, o las distintas fases de proyecto y construcción en arquitectura) en la materialización de una obra. Su enfrentamiento al soporte pictórico es inmediato (del ojo que observa a la mano que actúa) y estrictamente individual (lo que no quiere decir que no puedan optar por la intervención de ayudantes).

Una vez resueltos, en su caso, los aspectos proyectuales (apuntes, bocetos; *véase* dibujo), el pintor debe optar por distintas posibilidades materiales y técnicas. Cabe la posibilidad de que decida emplear un solo color (y elabore por tanto una pintura monocroma; una gama de grises le permite realizar una grisalla, representación que suele imitar el efecto de un bajorrelieve escultórico) o varios (componiendo una pintura policroma). Desde el punto de vista técnico, cuenta con numerosas opciones. Una de ellas es la pintura al fresco, aplicando el pigmento sobre un muro revestido con una primera capa de yeso o argamasa (enfoscado) y una segunda capa de cal (enlucido) cuando dicho muro todavía está húmedo (de ahí su nombre); la cal del enlucido se combina con los gases carbónicos del aire y se trasforma en carbonato cálcico, convirtiéndose en una superficie dura que contiene el color en sí. El fresco es una de las técnicas pictóricas más antiguas (su invención se remonta a la civilización minoica*) y se caracteriza por su adaptación a estructuras arquitectónicas. Otra posibilidad es el encausto, una técnica pictórica en la que los pigmentos se diluyen en cera fundida, debiendo pintarse, por tanto, en caliente; se utilizó especialmente en el mundo grecorromano. La pintura al temple se realiza sobre superficies que no son de cal, por lo que los pigmentos precisan de alguna sustancia oleaginosa (yema de huevo, leche, savia de higuera, etc.) que, combinada con agua, sirva de aglutinante y adherente. Puede aplicarse sobre muros, pero también sobre tablas (soportes de madera), lienzos, planchas

metálicas y otros soportes muebles, posibilitando el transporte de la pintura; en todos los casos es preciso proceder a la imprimación (aplicación de una capa sobre el soporte que lo haga más homogéneo y luminoso y menos absorbente) antes de aplicar los pigmentos. La pintura al óleo utiliza como aglutinante diversos tipos de aceite (de linaza, de nuez, de adormidera, etc.). Es una técnica conocida ya en la Edad Media, pero perfeccionada en los Países Bajos en el siglo xv y en Italia posteriormente (sobre todo en Venecia en el siglo xvi). Es más versátil que el temple: los pigmentos adquieren mayor fluidez, amplía la variedad, sutileza e intensidad de los colores, y facilita la aplicación de veladuras (tintas transparentes que suavizan los tonos). La adición de resinas y sustancias diversas en el óleo aumenta la flexibilidad de la pintura cuando ésta seca, lo que favoreció su empleo sobre lienzos (telas de lino, algodón, cáñamo o yute) que se enrollan y permiten un fácil transporte. El principal competidor del óleo a partir de la década de 1940 es el acrílico, un tipo de pintura sintética soluble en agua y de secado rápido. La acuarela, la aguada y el *gouache* son técnicas en las que el pigmento se mezcla con un aglutinante (generalmente goma arábiga) soluble en agua. En la acuarela los pigmentos se adelgazan con agua hasta hacerlos transparentes; para lograr los tonos claros no suele utilizarse pigmento blanco, sino que se aprovecha el blanco del soporte de papel. En el *gouache,* por el contrario, los pigmentos –incluido el blanco– son opacos. El término aguada se utiliza en ocasiones como sinónimo de *gouache*, aunque también sirve para designar a un dibujo coloreado en tinta china o sepia muy diluida. En la pintura al pastel, por último, se utilizan barritas o lápices de color formados por la mezcla del pigmento en polvo con alguna resina, sin aglutinantes, por lo que la adhesión del pigmento al soporte es muy débil y las obras deben protegerse rociándolas con algún fijador o mediante un cristal. Las decisiones relacionadas con el formato afectan en especial a la elaboración de cuadros (es decir, obras pictóricas portátiles); los formatos más frecuentes son rectangulares o cuadrados, aunque también abundan las pinturas ovales y circulares (entre estas últimas se encuentran los tondos –voz italiana utilizada para referirse a una pintura o relieve en forma de medallón). Varios cuadros pueden agruparse en una misma obra formando un díptico (dos), un tríptico (tres) o un políptico (más de tres), e integrarse en estructuras más grandes denominadas retablos*. Todas estas decisiones técnicas determinan en gran medida la posterior elaboración formal de una pintura, para la que el pintor se sirve de líneas*, colores*, texturas* y todo tipo de recursos compositivos (*véase* composición).

pintura de género Tipo de pintura que representa escenas de la vida cotidiana de modo amable o anecdótico y en formato pequeño o mediano. Su destino habitual es la decoración de interiores domésticos de una clientela burguesa. Es uno de los géneros característicos de la pintura holandesa del siglo XVII (Gerard Ter Borch, Pieter de Hooch), sostenida en buena medida por ese tipo de público. Cobra especial importancia a partir del siglo XVIII, coincidiendo con los primeros pasos de la generalización de un mercado artístico, y da lugar entonces a subgéneros como la *conversation piece* en Gran Bretaña. En el siglo XIX se tiñe de acentos sentimentales, edulcorados y emotivos que la diferencian claramente de la crudeza de las manifestaciones del Realismo*.

pintura de historia Género pictórico que se define por escoger como tema acontecimientos históricos o legendarios relevantes a los que se atribuye cierto carácter ejemplar. Para la tradición académica y clasicista era, junto a la pintura religiosa y los temas de la mitología grecorromana, el género más noble e importante, aquel que representaba para la pintura lo que la épica para la poesía (*véase* Academia y clasicismo). Su origen se remonta al siglo XVI (las representaciones de las batallas de Anghiari y Cascina que Leonardo y Miguel Ángel hicieron para la Señoría de Florencia), aunque será en el XVII cuando el género se configure como tal, y en el XVIII y XIX cuando alcance su máximo desarrollo. Los cuadros de historia se realizan en grandes formatos para disponer con amplitud escenas integradas por gran variedad de personajes; en ellos se despliegan todos los recursos retóricos de la pintura tradicional, pues es imprescindible que quede reflejado sin ambigüedad el sentido que se quiere dar al acontecimiento representado, así como el papel que cada personaje desempeña en el mismo; también se concede gran importancia a la exactitud de la reconstrucción histórica en cuanto a indumentarias y marco arquitectónico. Pueden representarse asuntos de la historia antigua (sobre todo la de Grecia y Roma, muy frecuentada en el neoclasicismo*) o de la historia medieval y moderna (especialmente en el siglo XIX, cuando se remitía a la Edad Media el origen de las identidades nacionales modernas). Con el Romanticismo* adquiere una dimensión diferente al aplicarse a asuntos de la historia estrictamente contemporánea (*La balsa de la Medusa,* de Gericault, o *Las matanzas de Chíos,* de Delacroix), pero las tendencias innovadoras del siglo XIX tenderán a desdeñar este género como principal manifestación del academicismo conservador; de hecho, en esta época pintura de historia y pintura oficial eran prácticamente la misma cosa, pues sólo las instituciones estatales podían encargar este tipo de cuadros de enormes dimensiones cuyo destino habitual era la decoración de edificios públicos. La pintura de historia languidece casi hasta desaparecer durante las dos primeras décadas del siglo XX, desechada por las vanguardias y preterida por la práctica pictórica tradicional, que se refugia en géneros como el paisaje*, el retrato* o la pintura de género*; sólo sobrevive en el ámbito del realismo* socialista, pues cuando el arte moderno se acerque a temas históricos (como en el *Guernica* de Picasso) lo hará con criterios y lenguaje totalmente distintos a los característicos del género.

pop, arte El término *Pop Art* fue acuñado por el crítico británico Lawrence Alloway en un texto de 1958 titulado *The Arts and the Mass Media (Las artes y los medios de masas)* para referirse a la imaginería y los productos de los nuevos medios de comunicación (la publicidad gráfica, las revistas en color, los productos de consumo). En los años siguientes, sin embargo, pasaron a englobarse bajo esa denominación todas las manifestaciones artísticas en soportes y géneros diversos –sobre todo la pintura, pero también la escultura, el *assemblage,* etc.– cuyo tema estaba centrado en ese tipo de imágenes y productos relacionados con la sociedad de consumo. Los orígenes del arte pop datan de la segunda mitad de la década de 1950 en Gran Bretaña y Estados Unidos. En Londres, un grupo de críticos (Reyner Banham, Tony del Renzio, el propio Alloway), arquitectos (Alison y Peter Smithson) y artistas (Richard Hamilton, Eduardo Paolozzi, John McHale) fundan el Independent Group en 1952 para reflexionar sobre las posibles aportaciones de los nuevos medios de comunicación a las artes; a este núcleo inicial se suman otros artistas (Allen Jones, Peter Blake, R. B. Kitaj, Patrick Caulfield, David Hockney) que empiezan a incorporar a su obra técnicas y materiales iconográficos procedentes de ese mundo en los últimos años cincuenta y primeros sesenta. Durante esos mismos años, en Nueva York, Jasper Johns y Robert Rauschenberg desarrollan un proceso parecido en su obra pictórica, que todavía tiene muchos puntos de conexión con el expresionismo abstracto norteamericano imperante en la época (*véase* informalismo); pero a principios de los años sesenta existe ya un núcleo de artistas que ha desarrollado un lenguaje nuevo y distinto de la abstracción, basado en la reinterpretación de imágenes de los medios de masas y del mundo del consumo. Ese núcleo está formado por cinco artistas (Andy Warhol, Roy Lichtenstein, James Rosenquist, Tom Wesselmann y Claes Oldenburg) cuya obra sirve de referencia fundamental para fijar el concepto de arte pop en lo sucesivo; a estos cinco artistas radicados en Nueva York hay que añadir algunos otros

que practican estrategias similares en California por las mismas fechas (Ed Ruscha, Mel Ramos, Wayne Thiebaud). Todos ellos están interesados en establecer una nueva relación entre el mundo del arte y el entorno visual de la vida cotidiana a través de la renovación de la imagen artística y de la recuperación del concepto de representación, que había desaparecido con el predominio de la pintura abstracta en los años anteriores; para ello incorporan a su obra recortes de revistas y vallas publicitarias (Wesselmann), reproducen imágenes de cómics (Lichtenstein, Warhol) o reflexionan sobre las técnicas y los modos de reproducción de la imagen propios de los medios de masas (Rosenquist, Warhol). Otros artistas a los que se vincula en alguna medida con el pop durante la década de los sesenta son Robert Indiana, Jim Dine y George Segal; asimismo, se ha relacionado con este movimiento la obra de distintos artistas europeos interesados en recuperar la imagen y el objeto frente a las corrientes abstractas, como el grupo francés de los *Nouveaux Realistes*. El arte pop es, sin embargo, un fenómeno fundamentalmente americano, y su desarrollo en Europa resulta mucho más heterogéneo; incluso la mayor parte de los artistas británicos que estuvieron relacionados con sus primeros pasos siguieron después trayectorias bastante diferentes a las establecidas en el pop americano.

posmoderno, arte El concepto de posmodernidad empezó a circular en la década de los setenta en distintas áreas del pensamiento con significados y en contextos muy variados, y en la década siguiente se consagró como una categoría plenamente establecida. En general, pretende definir el estado de la cultura occidental a finales del siglo xx, cuyo rasgo más significativo sería la extensión de una conciencia relativista incompatible con los grandes sistemas de pensamiento con ambición totalizadora del pasado. Esa conciencia, fruto de la acumulación y la aceleración históricas, haría imposible la gestación de nuevos sistemas globales que sustituyeran a los antiguos, por lo que la única estrategia intelectual viable sería un discurso fragmentario, plural y ecléctico. En lo relativo al arte, la posmodernidad es el resultado de la entrada en crisis de las utopías de la vanguardia*, que empieza a considerarse un episodio ya clausurado y deja, por tanto, de ser la única fuente de legitimidad a la hora de juzgar si una obra merece o no el calificativo de moderna. Una de las consecuencias del exceso de conciencia histórica es que todos los estilos y episodios del arte del pasado pasan a ser alternativas potencialmente válidas para el presente: una suerte de repertorio a disposición del artista contemporáneo, que puede entrar a saco en la historia y tomar de sus distintas etapas aquello que más le convenga o le intere-

se. Por otra parte, este exceso de conciencia histórica supone una pérdida definitiva de la mirada inocente, con lo que las citas del pasado adquieren a menudo un sesgo irónico o paródico. Puede hablarse de arte posmoderno en dos sentidos distintos aunque no necesariamente excluyentes: por una parte, si entendemos la posmodernidad como un diagnóstico sobre la situación de la cultura occidental a partir de un momento determinado, arte posmoderno sería todo aquel que se produce en esa época y resulta afectado por sus peculiares condiciones; por otra parte, si la posmodernidad se entiende como una actitud, arte posmoderno sería todo aquel que la asume como propia y que acepta como supuesto de partida un discurso ecléctico, plural y fragmentario. Son muchas las tendencias y manifestaciones artísticas que, a partir de la década de los setenta, han sido motejadas en algún momento de posmodernas. En el ámbito de las artes plásticas pueden incluirse en ese apartado casi todas las corrientes pictóricas que, frente a la boga del arte conceptual* en los años cincuenta y sesenta, reivindican un concepto más convencional de la práctica pictórica y, generalmente dentro de la figuración, retoman algunos elementos significativos de tendencias modernas anteriores a la vanguardia histórica. Ése es el caso de la transvanguardia italiana, nombre con el que el crítico Achille Bonito Oliva agrupó a un cierto número de pintores de características muy heterogéneas (Sandro Chia, Nino Longobardi, Francesco Clemente, Enzo Cucchi, Mimmo Paladino) que alcanzaron notable relieve en la década de los ochenta; con criterios similares se ha calificado de posmoderna la pintura neoexpresionista que dominó la escena alemana de los años setenta y ochenta (Georg Baselitz, Anselm Kiefer, Jörg Immendorf), o buena parte de la figuración española de esos mismos años (Luis Gordillo, Guillermo Pérez Villalta, Juan Antonio Aguirre). En la arquitectura, el término posmoderno lo puso en circulación el crítico norteamericano Charles Jencks a mediados de la década de los setenta, y designa una tendencia que recupera de diferentes maneras elementos de la tradición y el lenguaje clásicos con un afán polémico respecto a la ortodoxia del Estilo Internacional; en la arquitectura americana, la cita clasicista tiene a menudo un sentido irónico, y se tiñe de influencia pop* y de sentido figurativo, especialmente en la obra de Robert Venturi; en Europa, en cambio, la arquitectura posmoderna busca recuperar el sentido tradicional del monumento (Ricardo Bofill), o se presenta como un neotradicionalismo abiertamente conservador (Leon y Rob Krier), o bien intenta formular en términos modernos el legado de las tipologías arquitectónicas y urbanas (Aldo Rossi). En un sentido más amplio, se han considerado a veces como pos-

modernas otras tendencias arquitectónicas posteriores que también ponen en cuestión la tradición racional y funcionalista fundada por el Movimiento Moderno; el caso más significativo es el de la arquitectura deconstructivista, denominación acuñada por Philip Johnson y Mark Wigley en 1985 para definir la obra de una serie de arquitectos reunidos por ellos en una exposición en el Museum of Modern Art (MoMA) de Nueva York (Zaha Hadid, Peter Eisenman, Frank Gehry, Bernard Tschumi); ésta se caracteriza por la ruptura con la ortogonalidad y el lenguaje racionalista del Movimiento Moderno, el uso de planos inclinados y plantas obtenidas a partir del desplazamiento y el dinamismo geométrico, y el énfasis expresivo en las tensiones internas del proyecto.

postimpresionismo Este término fue acuñado por la historiografía del arte contemporáneo para referirse a un cierto número de pintores franceses que desarrollan lo fundamental de su obra en las dos décadas finales del siglo XIX y en la primera del XX, cuando el impresionismo* es ya una tendencia plenamente formada y antes de que surjan el cubismo* y los primeros movimientos de vanguardia*. Aunque no se trata de un grupo formal y sus obras respondan a planteamientos dispares, todos parten de la lección del color impresionista, a partir del que intentan buscar vías para restituir un cierto orden constructivo al cuadro sin volver a los lenguajes de la tradición; pero además acusan la influencia de las diversas tendencias renovadoras características del fin de siglo, como el Simbolismo* o el modernismo*. La obra de Cézanne, que, sobre todo en sus últimos años, estaba empeñado en dotar a la pincelada fragmentada del impresionismo de cierta capacidad para representar el volumen y el espacio de modo no ilusionista, será una referencia capital para muchos de ellos. Algunos de estos artistas empiezan a actuar en la periferia del impresionismo, participando incluso en sus exposiciones. Ése es el caso de Paul Gauguin, que practica una pintura de colores planos y tonos saturados separados por contornos negros muy pronunciados, formando una especie de celdas de color que recuerdan a los cristales de una vidriera unidos por los emplomados (cloissonisme); Gauguin tendrá gran ascendencia sobre un grupo de pintores a los que se agrupa bajo la denominación de Escuela de Pont-Aven, por la pequeña población bretona en la que se reunían para pintar; a la influencia de Cézanne en algunos de ellos (Émile Bernard) se suma cierta tendencia decorativa que los relaciona con el modernismo, así como una clara influencia simbolista en los temas y un interés manifiesto por las artes populares, los pintores y el arte primitivos*. También del entorno impresionista procede el neoimpresionismo o divisionismo; sus principales representantes son Georges Seurat y Paul Signac, que intentaron sistematizar el lenguaje impresionista de manera científica, convirtiendo las pinceladas sueltas en puntos de color primario que se combinaban en cantidades precisas (técnica conocida como puntillismo); para ello se basaron en las investigaciones sobre el color y la luz de físicos como Rood y Chevreul, así como en las teorías acerca del uso de colores complementarios desarrolladas por el pintor romántico E. Delacroix. Los nabis («profetas» en hebreo) son un grupo constituido en 1888 y que, a lo largo de la siguiente década, desarrollaron la idea de la expresividad del color puro a partir del ejemplo de Gauguin, aunque enseguida siguieron caminos propios; entre sus miembros (Pierre Bonnard, Édouard Vuillard, Maurice Denis, Paul Sérusier, Ker-Xavier Roussel) hay también elementos asociados al Simbolismo y el modernismo, así como una considerable influencia de la estampa japonesa. El panorama del posimpresionismo se completa con Henri de Toulouse-Lautrec, pintor independiente que desarrolló las investigaciones de Manet y Degas acerca de la figura humana y la representación sintética del espacio (tan conocida como su pintura es su obra gráfica, en la que hay influencia japonesa y conexiones con el cartel y la ilustración modernistas), y el holandés Vincent van Gogh, que desarrolló en Francia la parte final de su corta carrera, en la que se integran de modo muy personal el color impresionista, la influencia japonesa y un concepto muy peculiar del simbolismo.

precolombino, arte Denominación genérica que se da al arte de las culturas americanas anteriores al descubrimiento y colonización del continente por los europeos de 1492 en adelante. La magnitud del espacio geográfico y la extraordinaria extensión cronológica (más de 40.000 años, si incluimos el arte paleolítico, y más de 5.000, si lo restringimos a la aparición de asentamientos agrícolas) a que se refiere hacen imposible definir rasgos homogéneos en la producción artística de las muchas culturas a las que cabe llamar precolombinas. Aunque también comprende el arte de los pueblo nativos de América del Norte, lo precolombino se identifica preferentemente con lo que luego será la América hispana, donde se dan las mejores y más elaboradas producciones artísticas. Por su localización geográfica, se distinguen tres grandes áreas: la mesoamericana (México, Guatemala, Belice, Honduras y El Salvador), la intermedia (resto de América Central, norte de Sudamérica y las Antillas) y la andina (Altiplano y costa atlántica, incluyendo zonas de Chile y Argentina). En lo cronológico se distinguen tres periodos, inicialmente definidos para las culturas mesoamericanas pero que algunos especialistas trasladan también al ámbito andino:

el formativo o preclásico (5000 a.C.-300 d.C.), el clásico (300-1000) y el posclásico (1000-1500). Durante el periodo formativo, con la aparición de comunidades sedentarias y agrícolas, surgen las primeras muestras artísticas importantes en Mesoamérica (arte olmeca en México, entre 1000-400 a.C.) y el área andina (arte Chavín en Perú, llamado así por el santuario de Chavín de Huantar, entre 1200-300 a.C.). En el periodo clásico encontramos ya culturas urbanas organizadas y grandes obras arquitectónicas (pirámides y santuarios o centros ceremoniales), escultóricas y pictóricas, como la civilización teotihuacana de México central (100-700), el arte zapoteca del Valle de Oaxaca (200-900) y, sobre todo, el riquísimo arte maya en el sur de México y Guatemala (300-900), todo ello en el área mesoamericana; el clasicismo andino está representado por las civilizaciones mochica y nazca (200 a.C.-800 d.C.), ambas en la costa, y el importante santuario de Tiahuanaco, junto al lago Titicaca (200 a.C.-1200 d.C.). Por último, en el periodo posclásico, el imperio tolteca y las culturas mixtecas muestran la continuidad cultural y artística de México central, mientras que el arte maya se prolonga en la civilización mayatolteca del Yucatán; en la zona andina surge el imperio Wari. A finales del posclásico se desarrollan el arte del imperio azteca en México y el del imperio inca en Perú, las dos grandes culturas artísticas vigentes cuando se inicia la conquista española.

prehistórico, arte El concepto de arte prehistórico abarca una amplísima serie de manifestaciones artísticas desarrolladas a lo largo de tres periodos culturales, el Paleolítico Superior (30000-8500 a.C.), el Epipaleolítico o Mesolítico (8500-7000 a.C.) y el Neolítico (7000-3500/1000 a.C.). Las primeras realizaciones humanas que asociamos al concepto de arte* se remontan al Paleolítico superior; es probable que anteriormente existieran formas de expresión artística plasmadas en materiales perecederos (pieles, cestería, madera, adornos corporales), pero no han llegado hasta nosotros. En plena era glacial, los cazadores paleolíticos de las zonas menos frías de Europa (especialmente la cornisa cantábrica y el sur de Francia) y Asia perfeccionan considerablemente sus útiles de piedra, hueso y marfil, y comienzan a realizar representaciones pictóricas (con pigmentos naturales: óxidos de hierro, carbones, arcillas, resinas, grasas) y escultóricas (tallas) en objetos portátiles (arte mueble o mobiliar) y sobre las paredes de las cuevas (arte rupestre). Dichas representaciones incluyen diversos tipos de trazos, signos y figuras. Entre las formas más abstractas, predominan las de carácter circular: bolas de piedra, perforaciones, puntos y discos de color. También abundan los grandes signos de difícil interpretación y variada tipología (escutiformes –super-

ficies cuadrangulares divididas en compartimentos–; tectiformes –grupos de líneas que irradian de un punto–; claviformes –líneas con un saliente central–). Más claramente identificables son las huellas de manos, que pueden ser negativas (siluetas, mucho más numerosas) o positivas (impresiones directas), y las figuras animales, entre las que destacan las de caballos, bisontes y bóvidos. Suelen representarse de perfil, aunque en ocasiones se emplea la perspectiva torcida (silueta de perfil, cornamentas y/o pezuñas de frente); desde el punto de vista estilístico, evolucionan desde la simplicidad lineal de una primera fase «primitiva» (30000-18000 a.C.) y la incipiente animación de una fase «arcaica» (18000-13500 a.C.) al vibrante naturalismo de la fase «clásica» (periodo Magdaleniense, 13500-8500 a.C.) a la que pertenecen los ejemplos más célebres (Altamira, Lascaux). A veces se utiliza la roca soporte para crear efectos de volumen o parecen tenerse en cuenta los límites espaciales de la pared para organizar frisos o efectos de fondo. Sin embargo, en la mayor parte de los casos, la distribución de las imágenes no responde a criterios compositivos artísticos tal como los entendemos hoy; las representaciones no guardan relaciones de escala, se superponen unas a otras y algunas de ellas aparecen en lugares recónditos, incluso inaccesibles para el espectador contemporáneo. Ello ha llevado a los investigadores a plantear interpretaciones relacionadas con rituales mágico-propiciatorios de la caza: la representación de un animal como forma de apropiación simbólica de la misma. Menos abundantes son las figuras humanas; se conocen unas 150 más o menos reconocibles como tales, la mitad de ellas en objetos muebles. No suelen ser muy naturalistas, y en su mayor parte son fragmentarias (figuras acéfalas, posiblemente relacionadas con los ritos de iniciación; representaciones de senos, falos y, sobre todo, vulvas). Algunas tienen un carácter híbrido, mitad humano-mitad animal, o andrógino, y han sido identificadas con chamanes. Un tipo especial de representaciones humanas son las llamadas «venus», pequeñas esculturas de mujeres desnudas o casi desnudas y formas macizas, a menudo con grandes atributos sexuales y reducción intencional de las extremidades; suelen relacionarse con ritos de propiciación de la fecundidad.

El arte mesolítico o epipaleolítico es también obra de cazadores, aunque no sometidos ya a los rigores climatológicos de la última glaciación. Este hecho determina la extensión del fenómeno artístico por otras zonas del planeta (norte y sur de África, Australia, América Central y del Sur), y posiblemente motiva también el abandono de las cuevas y la aparición de representaciones en abrigos rocosos al aire libre. Encontramos ahora un gran número de figuras humanas y de animales, a menudo organizadas en escenas de caza, pastoreo, combate o baile; escasean los signos y las muestras de arte mobiliar. Un área de especial personalidad durante el Mesolítico es la del levante español, donde se desarrolla el llamado *arte levantino*, con representaciones monocromas (en negro, rojo o blanco) de gran viveza.

El arte neolítico es fruto de una revolución cultural que se inicia en el Próximo Oriente, el sur de Europa y el norte de África hacia el 7000 a.C. y termina hacia el 3500 a.C. (cronología que varía según las regiones, prolongándose en ocasiones hasta el I milenio a.C.). El proceso de sedentarización y el crecimiento demográfico posibilitados por la implantación de la agricultura y la ganadería traen consigo la invención de la cerámica, la cestería y la metalurgia, así como el desarrollo de incipientes centros urbanos. La cerámica neolítica presenta decoraciones geométricas pintadas o incisas; la preferencia por los motivos abstractos o semiabstractos caracteriza en general las representaciones rupestres de la época, tal como reflejan las pinturas del llamado arte esquemático español o los grabados lineales que proliferan por distintos puntos del continente europeo. La socialización promueve también el desarrollo de símbolos religiosos (plasmados en ídolos y estatuillas, muchos de ellos relacionados con el culto a una diosa-tierra o un dios-sol) y complejos ritos funerarios que, a partir del V milenio a.C., determinarán la extensión por toda

Europa de la arquitectura megalítica (de grandes bloques de piedra): dólmenes (recintos de enterramiento formados por la superposición de un bloque horizontal sobre dos o más verticales; pueden ir precedidos de un corredor y estar cubiertos de tierra, formando un túmulo), menhires (monolitos hincados en la tierra en posición vertical, asociados a usos rituales o conmemorativos; en ocasiones aparecen agrupados en hileras –alineamientos– o en círculos o elipses –cromlechs–, y a veces presentan atributos antropomórficos –estatuas-menhir–), taulas (monumentos formados por una gran losa horizontal sustentada por otra vertical), talayots (torres troncocónicas o troncopiramidales en cuyo interior se abre una cámara cubierta por falsa bóveda), navetas (monumentos en forma de nave invertida; como las taulas y los talayots, son propios de la arquitectura megalítica balear), etcétera. En la fase final del Neolítico, la aparición de elites y jerarquías sociales y la necesidad de crear nuevos símbolos de poder y prestigio y armas más eficaces impulsa el descubrimiento de la metalurgia del cobre, el bronce y el hierro; la Prehistoria llega a su fin con la Edad de los Metales (dividida en tres periodos: Calcolítico o Edad del Cobre, Edad del Bronce y Edad del Hierro), preludio de la aparición de las primeras civilizaciones históricas.

prerrománico, arte Bajo el concepto de arte prerrománico los historiadores del arte engloban tres largos episodios artísticos desarrollados en Europa occidental durante la Alta Edad Media, tras la caída del Imperio Romano de Occidente en el 476 y la llegada de los invasores bárbaros, y antes de la implantación del arte románico* en el siglo XI. El primero de ellos se identifica como arte de las invasiones germánicas o de los pueblos germánicos, y abarca las manifestaciones artísticas desarrolladas por los distintos pueblos godos que lograron fundar reinos independientes en España (visigodos), Francia (merovingios) e Italia (ostrogodos y lombardos) durante los siglos VI, VII y VIII. El segundo, denominado arte carolingio, está marcado por unificación territorial de gran parte del territorio europeo bajo el Sacro Imperio Romano Germánico y el renacimiento cultural liderado por el emperador Carlomagno en el siglo IX; sólo dos reinos cristianos escapan al dominio carolingio y ofrecen manifestaciones artísticas personales: las Islas Británicas, donde florece el llamado arte insular, y el reino asturleonés al norte de la Península Ibérica, ámbito de desarrollo del arte asturiano. El tercer episodio engloba las experiencias artísticas desarrolladas en distintos puntos del continente durante el siglo X, entre las que destacan el arte otoniano en Alemania y el arte mozárabe en España.

Los invasores bárbaros hicieron escasas aportaciones al arte de los territorios donde se asentaron; más bien puede decirse que asimilaron como pudieron la maltrecha herencia romana y la adaptaron a sus necesidades políticas y religiosas. Poco queda de las realizaciones arquitectónicas del arte merovingio, desarrollado en Francia entre principios del siglo VI y mediados del VIII. Mayor interés presenta el arte ostrogodo, en el que perviven tradiciones paleocristianas* (la basílica) matizadas por la influencia bizantina* (decoraciones musivas) y fundidas en construcciones como la iglesia de San Vital de Ravena. Las aportaciones más originales quizá correspondan al arte visigodo o hispanovisigodo. Los visigodos, asentados en la Península Ibérica a principios del siglo VI y hasta la invasión musulmana del año 711, recogieron la herencia romana y paleocristiana en la construcción de pequeñas iglesias con interiores muy compartimentados (en respuesta a una liturgia propia) y decorados con pinturas y relieves; cultivaron también la metalistería, creando numerosas piezas de ajuar y atuendo personal, así como elementos suntuarios para decorar los templos (coronas votivas, cruces).

La coronación de Carlomagno como emperador de todos los pueblos germánicos centroeuropeos en el año 800 supuso el inicio de una importante renovación cultural y artística. Apoyado en unos fuertes lazos políticos con el papado, el emperador emprende una tarea de recuperación del legado clásico que se plasmará en el arte y la arquitectura. El emperador y sus sucesores impulsaron la construcción de monasterios* benedictinos y adoptaron el modelo de la basílica paleocristiana para sus iglesias, introduciendo en ellas una serie de novedades que sirvieron de puente hacia el románico, como el mayor protagonismo de las portadas, con multiplicación de sus torres y creación del *Westwerk* (especie de vestíbulo con dos pisos que recordaba a las fortalezas defensivas –los contemporáneos lo llamaban *castellum* o *turris*– y convertía a la iglesia en un baluarte simbólico contra las fuerzas del mal), o la transformación de la cabecera determinada por el culto a las reliquias, con el desarrollo de sistemas de criptas y pasillos anulares que anuncian la posterior girola románica. Los templos carolingios presentan además frecuentemente cubiertas de madera y un contra-ábside a los pies de la iglesia. Otras tipologías arquitectónicas desarrolladas por los carolingios son el palacio y la capilla privada; esta última es un edificio religioso de planta centralizada reservado a la realeza o la nobleza y en el que se albergaban reliquias de santos –su nombre deriva del edificio que albergaba una de las más preciadas reliquias de la época, un fragmento de la capa *(capella)* de san Martín–. El renacimiento carolingio también afectó a las artes plásticas, tanto a la pintura mural que decoraba iglesias y palacios como a la miniatura*, que experimenta un impresionante desarrollo; en general asistimos a una recuperación del naturalismo «a la antigua» (en ocasiones tan eficaz que resulta muy difícil distinguir algunas de estas imágenes de pinturas clásicas tardías producidas 500 años antes), con influencias del mundo bizantino. En comparación con las realizaciones del arte carolingio, las aportaciones del arte insular en Gran Bretaña e Irlanda son absolutamente menores, y se centran en el desarrollo de la miniatura y la orfebrería. Más interés reviste el arte asturiano, sobre todo en lo que a la arquitectura respecta, que puede considerarse una síntesis de las tradiciones romanas, hispanovisigodas y carolingias. Los reyes asturleoneses (Alfonso II, Ramiro I y Alfonso III) quisieron emular en Oviedo la capital del antiguo reino de sus predecesores visigodos, y erigieron en torno a ella un pequeño palacio (Santa María del Naranco) y diversas iglesias decoradas con relieves, pinturas murales y piezas de orfebrería.

El avance de la reconquista en la España del siglo X determina la integración de sectores de población musulmana en los nuevos reinos cristianos; los mozárabes, o musulmanes bajo dominio cristiano, dan nombre al arte mozárabe que algunos historiadores han preferido llamar arte de repoblación por no haberse podido verificar la efectiva autoría mozárabe de sus principales manifestaciones; la arquitectura de este periodo, sin embargo, muestra una clara influencia del arte hispanomusulmán (alfices, bóvedas nervadas, proliferación del arco de herradura) sobre unas bases eminentemente visigodas. Especial interés reviste la miniatura* de la época, que alcanza su máxima expresión en los llamados «beatos». En el complejo marco histórico de la Europa del fin del milenio, sólo cabe resaltar otro episodio artístico de trascendencia internacional, el desarrollado en los territorios del Sacro Imperio Romano Germánico a partir del reinado de Otón el Grande (936-973) y durante buena parte del siglo XI. El arte otoniano retoma las principales innovaciones carolingias en el ámbito de la arquitectura y la miniatura, y desarrolla aspectos característicos como la articulación muraria de los exteriores, la tribuna en el interior de la iglesia y las primeras arquivoltas; los otonianos son también los creadores de las primeras esculturas devocionales (vírgenes y cristos) no identificables con estatuas-relicario.

primitivo, arte 1. Denominación generalizada desde mediados del siglo XIX para referirse a los objetos rituales (fundamentalmente esculturas y máscaras) producidos por los llamados «pueblos primitivos», es decir, los pueblos sin escritura que, con la expansión colonial europea en el África subsahariana y Oceanía, empezaron entonces a ser bien conocidos. En la valoración y reivindicación de estos objetos desempeñaron un papel fundamental algunos artistas europeos de finales del siglo XIX y principios del XX, desde Gauguin y Van Gogh a los fauves* y los artistas vinculados al cubismo* y al expresionismo* alemán, que los vieron como ejemplo de métodos de representación alternativos a los característicos del arte occidental. El concepto de «primitivo» está ligado a una concepción evolucionista de la cultura y el arte ya en desuso, según la cual esos pueblos representarían un estadio de civilización equivalente al de los primeros pasos de la humanidad, mientras que la cultura occidental sería el estadio culminante de ese proceso. La enorme pluralidad de manifestaciones a las que se llama «arte primitivo» acoge algunas de gran complejidad en sus mecanismos de representación o de notable refinamiento técnico y calidad de ejecución; no es posible, por tanto, reducirlas a una única categoría, excepto la de manifestaciones plásticas ajenas a la tradición occidental, y mucho menos equipararlas a un supuesto estadio primigenio de las formas artísticas propias de esa tradición. Por todo ello, al menos desde la década de los setenta, se prefieren otras denominaciones más neutras y acordes con una perspectiva multicultural, como «arte etnológico», que, sin embargo, no resuelven por sí solas otro de los problemas planteados por la expresión «arte primitivo», el de la proyección del concepto occidental de arte* sobre realidades culturales ajenas al mismo.

2. También a mediados del siglo XIX se empieza a llamar primitivos a los artistas encuadrados en una escuela o tradición artística anteriores al siglo XVI, es decir, a la generalización de la perspectiva y la representación naturalista propia del Renacimiento. Se habla así de «primitivos flamencos» para referirse a la pintura neerlandesa del siglo XV, o de «primitivos italianos» en relación al arte italiano del *quattrocento*. Por razones análogas a las ya explicadas, hace años que es un término en desuso.

proporción Relación ordenada o correspondencia armónica que guardan entre sí y con el todo las distintas partes de un edificio o una obra de arte. En la tradición arquitectónica clásica (*véase* clasicismo), los elementos que componen un edificio se disponen según una serie de órdenes* (dórico, jónico, corintio, etc.) en los que se aplican diferentes módulos; dichos módulos son unidades referenciales de carácter numérico o geométrico que sirven para establecer las articulaciones proporcionales de todo el conjunto. Así, por ejemplo, en un templo* grecorromano, el diámetro de una columna (o el triglifo, en el caso del orden dórico) servía de módulo a partir del cual se definían las dimensiones de los demás componentes del edificio. En la escultura, la representación de figuras puede responder a un canon ideal que defina la relación existente entre una parte del cuerpo (la cabeza, el pie, la mano extendida, el puño cerrado) y las dimensiones totales (así, se dice que una figura mide X cabezas o pies); el término «canon» es de origen griego, aunque ya los egipcios establecieron un sistema de proporciones estable para sus estatuas. En el ámbito de la pintura, los sistemas proporcionales pueden aplicarse a elementos iconográficos concretos (figuras, edificios, etc.) a partir de los cuales definir el conjunto, y también puede optarse por el proceso inverso: definir primero las proporciones del marco compositivo y proyectarlas sobre los elementos internos. Un sistema de proporciones especialmente apreciado en la tradición clásica, tanto en pintura como en arquitectura, es el que se conoce con el nombre de *sección áurea*, regla de oro o divina proporción; en este sistema, la altura de un cuadro de formato rectangular (A), dividida por la diferencia entre su anchura y dicha altura (B − A), debe equivaler a dicha diferencia (B − A) dividida por la anchura (B).

Próximo Oriente, arte del Las manifestaciones artísticas de las diferentes civilizaciones desarrolladas en Oriente Próximo durante la Edad Antigua se engloban en la denominación de «arte del Próximo Oriente» o «arte del Oriente antiguo». Junto con Egipto, este amplio marco geográfico que se extiende desde Siria hasta Persia y de la Península Anatolia al Golfo Pérsico vivió la aparición de las primeras formas complejas de organización social, política y económica en la historia de la humanidad. El área germinal de civilización se encuentra en la región de Mesopotamia, donde un extraordinario desarrollo cultural durante el Neolítico da origen a los primeros centros urbanos ya en el VI milenio a.C. A principios del IV milenio se produce el asentamiento en la región de los sumerios, un pueblo procedente del norte que sabrá explotar el potencial agrícola de las llanuras en torno al curso inferior de los ríos Tigris y Éufrates, fomentando los intercambios comerciales en las ciudades y desarrollando una civilización de gran complejidad, responsable de innovaciones tales como la escritura cuneiforme o el arado. El arte sumerio será un instrumento fundamental de cohesión y control en una sociedad de base agraria, rígidamente jerarquizada, cuyo poder político corresponde a una casta burocrático-sacerdotal en cuya cúspide se encuentra un príncipe-sacerdote, el *ensi* o *bilal*. Los sumerios crearon grandes templos concebidos al mismo tiempo como morada de las divinidades y centros administrativos y comerciales. Su estructura habitual suele ser tripartita (una nave central y dos laterales compartimentadas en capillas), con gruesos muros, escasos vanos y fachadas exteriores articuladas mediante diversas puertas y los entrantes y salientes de sus contrafuertes. Se sirvieron como material del ladrillo de adobe, que solían recubrir con pequeñas cuñas de barro vitrificado; utilizaron el arco y (aunque no ha llegado hasta nosotros ningún ejemplo) la bóveda. Los primeros templos (como el Eanna de Uruk) carecen de murallas, pero a partir del III milenio tienden a integrarse en conjuntos amurallados sobre grandes plataformas (Templo Oval de Kafadje), y en sus alrededores aparecen múltiples dependencias: viviendas, talleres, oficinas, etc. Aparecen también entonces los primeros palacios, formados generalmente por una zona administrativa y otra más representativa en torno a un patio central. Poco queda actualmente de todos estos edificios, que conocemos por reconstrucciones arqueológicas; sí conservamos, por el contrario, numerosos ejemplos de sus realizaciones plásticas, representaciones figurativas que oscilan entre el esquematismo y un naturalismo extremo, y entre las que cabe destacar esculturas exentas de carácter votivo (como el grupo de orantes de Tell Asmar, conjunto de figuras de alabastro en pie o sentadas, con formas anatómicas muy esquematizadas, ojos muy abiertos y manos unidas, vestidas con falda de vellones de lana –*kaunakés*–); relieves con escenas de ofrendas, fiestas sagradas o conmemoraciones de victorias militares *(Estela de los buitres)*; objetos suntuarios (joyas, arpas, cajas de taracea como el famoso *Estandarte de Ur)*, y cilindros-sello, pequeños cilindros de piedra (de unos 5 cm de altura) decorados con motivos geométricos, animales estilizados o escenas en huecorrelieve que se hacían rodar sobre superficies blandas (generalmente arcilla) a modo de firma personalizada, configurando bandas figuradas de extensión variable.

La progresiva infiltración de los semitas en Mesopotamia, que culmina en el último tercio del III milenio a.C. con la unificación de los territorios comprendidos entre el Golfo Pérsico y el Mediterráneo bajo el imperio de Sargón, supondrá el de la civilización sumeria; la capital del nuevo imperio, establecida en Accad, dará nombre al arte acadio. Sobre la base de las tradiciones sumerias, los acadios pondrán sus representaciones figurativas al servicio de la idea del imperio, convirtiendo al emperador en protagonista de retratos y relieves militares *(Estela de Naramsín)*. La destrucción de Accad por los invasores gutu en el 2154 a.C. posibilitó un breve renacimiento de ciudades sumerias como Lagash y Ur durante el llamado «periodo neosumerio». El arte neosumerio se caracteriza por la recuperación de la tradición sumeria de la estatuaria votiva (estatuas de Gudea); la fusión de las tradicionales tipologías de templo y palacio, reflejo de la identificación del poder del soberano con el poder divino (conjunto palacial de Tell Asmar), y la cristalización de la tipología del zigurat, torre o pirámide escalonada cuyos diversos pisos se comunican mediante rampas procesionales y que corona, sobre una plataforma, los complejos templarios. Hacia el año 2000 a.C., nuevos pueblos semitas imponen su poder en las ciudades mesopotámicas, entre las que adquiere predominio Babilonia. El arte paleobabilónico (así denominado para distinguirlo del desarrollado en un posterior periodo de dominio babilónico en Mesopotamia en el siglo VI a.C.), continuador de las tradiciones anteriores, nos ofrece las primeras muestras conservadas de pintura mural mesopotámica, procedentes del Palacio de Mari: escenas yuxtapuestas que narran la sanción del poder real por parte de los dioses; las figuras combinan, como en el arte egipcio*, la representación frontal de los hombros y un ojo con el perfil del resto del cuerpo, y se suceden en escenarios sin profundidad espacial.

El dominio de Babilonia va quebrándose durante la segunda mitad del II milenio a.C., a medida que los asirios, procedentes del norte, extienden su influencia hacia el Mediterráneo y, ya en el I milenio a.C., hacia el Golfo Pérsico. El poderoso Imperio asirio dominará todo el territorio mesopotámico entre los siglos IX y VII a.C. y creará un arte de acusada personalidad. El arte asirio se desarrolla al servicio de una formidable maquinaria militar, y sus principales creaciones están destinadas a mostrar el poder incontes-

table del soberano. Los palacios de los reyes asirios (Palacio de Kalakh, Ciudadela de Jorsabad, palacios de Nínive) exhiben en sus puertas intimidatorios *lamasus,* monumentales toros alados androcéfalos con cinco patas (en una visión lateral se observan cuatro de ellas en posición de marcha; vistos de frente presentan las dos delanteras juntas, en posición estática), y sus paredes están decoradas con frisos de bajorrelieves muy planos en los que se representan escenas religiosas, cacerías y, sobre todo, campañas militares; en algunos de ellos se advierten tentativas de representación espacial y claras intenciones naturalistas, y todos se caracterizan por un extremado detallismo. A finales del siglo VII a.C., la caída del Imperio asirio a manos de una alianza de medos y caldeos da paso a los dos últimos episodios civilizadores desarrollados en el Próximo Oriente: Babilonia y el Imperio persa. Tras siglos de dominio extranjero, los babilonios logran deshacerse del dominio asirio durante el reinado de Nabuconodosor II y viven un breve periodo de renacimiento cultural que se prolongará hasta la conquista persa de sus territorios en el año 539 a.C. La prosperidad económica de la ciudad, que se convertirá en una de las capitales míticas del mundo antiguo, propicia el desarrollo de un *arte babilónico* suntuoso y decorativo, heredero de las tradiciones más amables de sumerios y paleobabilónicos, y entre cuyas realizaciones destacan los revestimientos vidriados de puertas (Puerta de Ishtar) y palacios. La sucesión de culturas mesopotámicas se cierra con la conquista de todo el Oriente Próximo (incluidas Anatolia y Egipto) por un pueblo de origen indoeuropeo, los persas, principal antagonista de los griegos hasta su sometimiento a manos de Alejandro Magno en el siglo IV a.C. El arte persa o aqueménida (por el fundador de la dinastía, Aquemenes) es el resultado de una suma de influencias mesopotámicas, egipcias e incluso griegas filtradas con originalidad. La ausencia de divinidades antropomórficas (la religión persa concibe la existencia de un solo dios del fuego y de la luz, Ahura-Mazda, representado por un disco solar alado) determina la inexistencia de templos y estatuaria religiosa, y hace del palacio (Pasagarda, Persépolis) la tipología protagonista de su arquitectura. Como los distintos pobladores de Mesopotamia, los persas construyen sus enormes palacios, formados por diversos pabellones independientes entre los que destaca la apadana o sala de audiencias, sobre amplias plataformas (de piedra, en vez de ladrillo), decoran sus muros con relieves y ladrillos vidriados y disponen toros alados en sus entradas; utilizan con frecuencia grandes columnas cuyos capiteles terminan en dos prótomos de toro sobre los que descansa directamente la techumbre. Los persas también excavaron tumbas reales en paredes rocosas siguiendo el modelo de algunos enterramientos egipcios, y diseñan sus entradas en forma de cruz griega rehundida en la roca, con un pórtico columnado central.

proyecciones arquitectónicas Se llama proyecciones a los procedimientos geométricos para representar un cuerpo tridimensional sobre un plano. Las más simples son las proyecciones ortogonales, que resultarían de la tira de líneas perpendiculares imaginarias desde todos los puntos del cuerpo a representar sobre un plano paralelo a su base o a cualquiera de sus ejes principales. A esta clase pertenecen las tres representaciones arquitectónicas por excelencia: planta, alzado y sección. La planta es la representación a escala de un corte horizontal imaginario de un edificio u objeto arquitectónico a determinada altura, generalmente la de sus niveles más significativos, y sirve para mostrar la distribución de sus distintos espacios, muros, soportes, etc.; el alzado es la proyección ortogonal de cada una de sus fachadas exteriores, y muestra la disposición de macizos, vanos* y eventuales elementos decorativos sobre la misma; la sección es la proyección de un corte transversal o longitudinal a partir de un eje definido por dos puntos dados, y representa la disposición vertical de los distintos componentes de un edificio. Además de estas tres representaciones, que son los instrumentos fundamentales del proyecto arquitectónico, se emplean también otros tipos de proyecciones: la proyección isométrica muestra sobre el plano las tres dimensiones del edificio o cuerpo representado, de modo que las líneas horizontales forman ángulos agudos iguales respecto a una línea base; resulta especialmente útil para mostrar el encuentro entre dos muros en una esquina o para representar dos fachadas a la vez. La axonometría o proyección axonométrica –similar a la anterior– se realiza a partir de los tres ejes de coordenadas que definen las tres dimensiones del espacio, de forma que permite la representación simultánea, precisa e integrada de planta, alzado y sección; es también la que recrea más satisfactoriamente las sensaciones de espacio y volumen en un edificio. Las representaciones de plantas y alzados arquitectónicos están generalizadas ya desde la Antigüedad (Vitruvio habla de ellas en su tratado, escrito en Roma en el siglo I a.C.), sin embargo, las reglas que rigen los distintos sistemas de proyección no fueron descritas con entera precisión hasta la *Geometría descriptiva* de Gaspard Monge (1799), lo que permitiría en adelante la representación fiel de cualquier detalle constructivo, por pequeño o complejo que fuera, en el proyecto arquitectónico.

putti (del italiano; plural de *putto*: «niño») Se llama así a un motivo decorativo utilizado en pintura, escultura y artes decorativas (estucos, escayolas) consistente en la combinación de dos o más niños desnudos y algo abundantes de carnes. Utilizados primero en el Renacimiento italiano, pronto se convierten en un tópico del repertorio decorativo clasicista de difusión generalizada. Su origen está en las representaciones clásicas de Cupido, deidad menor relacionada con Venus* y, por tanto, con el amor; de ahí que se les llame también «amorcillos». El motivo pasa asimismo al repertorio cristiano; las figuras de los niños se identifican entonces con ángeles y se les llama «angelotes», aunque ni en este contexto ni en contextos paganos estén dotados necesariamente de alas. Por lo general, su uso no tiene carga iconográfica ni significativa alguna, y con frecuencia se combina con motivos vegetales sin otro propósito que el meramente decorativo.

R

rascacielos Los rascacielos son edificios que, sobre un solar relativamente pequeño respecto a su volumen total, se desarrollan fundamentalmente en altura. Se trata de la primera tipología arquitectónica privativa y característica de la arquitectura moderna, y su creación está vinculada al grupo de arquitectos conocidos como Escuela de Chicago en el último cuarto del siglo XIX. Sus rasgos característicos aparecen por vez primera en algunos edificios de W. Le Baron Jenney en Chicago (el primer edificio Leiter, de 1879) y terminan por configurarse entre 1880 y 1910 en la obra de otros arquitectos de la escuela (Daniel Burnham, John Root, William Holabird, Martin Roche), y especialmente de Louis Henry Sullivan, el más importante de ellos y el primero que teorizó sobre el asunto. Los primeros rascacielos son edificios de oficinas (sólo después de la Segunda Guerra Mundial se generalizará también su uso como vivienda colectiva) que surgen como una respuesta a la escasez y carestía del suelo provocada por el extraordinario crecimiento de las ciudades americanas de finales del siglo XIX; su desarrollo es posible gracias al perfecciona-miento de las estructuras de acero y a la invención del ascensor (hidráulico en 1870 y eléctrico en 1880), así como a la inexistencia en Estados Unidos de tramas y normativas urbanas muy consolidadas que dificultaran el asentamiento de nuevas tipologías. El rascacielos, en efecto, plantea una relación nueva entre edificio y espacio urbano: no hay jerarquías entre sus fachadas, y su altura no está en relación con el ancho de la calle o la dimensión de una plaza o espacio de respeto; por tanto, no puede funcionar como telón de fondo de una perspectiva urbana, al modo del urbanismo tradicional, sino que su escenario natural es el *skyline,* la silueta o perfil característico de la ciudad. La estructura metálica libera la planta, que puede compartimentarse o dejarse diáfana a voluntad, sin el pie forzado de los muros de carga, y la fachada, convertida en muro* cortina. Ya en los ejemplos pioneros de Chicago se tiende a articular los exteriores como proyección o expresión de la estructura construida, incorporando las características *Chicago windows* (*véase* vano), aunque también se aplican repertorios formales y decorativos historicistas.

El Movimiento Moderno* europeo incorporó el rascacielos en las décadas de los veinte y los treinta a sus planteamientos urbanísticos con un lenguaje vanguardista que se impone también en Estados unidos a partir de 1945. Todavía en la actualidad es una de las tipologías más frecuentes en los centros administrativos de las ciudades, aunque está en franco retroceso su aplicación al ámbito de la vivienda colectiva.

Realismo Concepto que surge en el ámbito de la pintura francesa de mediados del siglo XIX para referirse a la actitud de aquellos artistas que, frente al idealismo de la tradición académica y el gusto por los temas fantásticos y literarios del Romanticismo*, se centran en la representación de temas tomados de la vida cotidiana o, en general, de motivos que la ortodoxia consideraba irrelevantes, vulgares o indignos de atención artística. El primero en asumirlo de forma explícita fue el pintor francés Gustave Courbet, que tituló así la exposición de su obra que instaló por cuenta propia en una barraca como desafío a la muestra oficial de la Exposición Universal de París de 1855, acto de rebeldía que suele considerarse como el primer antecedente de la ruptura protagonizada por la vanguardia* en el siglo XX. El término se ha aplicado después a las corrientes figurativas modernas que se centran en la representación objetiva y minuciosa de lo percibido, como el hiperrealis-

mo, e incluso a otras que permanecen ancladas en un concepto tradicional de la representación artística frente a las innovaciones vanguardistas, como el realismo socialista. En sentido genérico, se utiliza para denominar cualquier representación artística imitativa o ajena a criterios idealizantes, y alude tanto a la actitud hacia el tema* como a la manera de representarlo. En la medida en que su contexto propio es el de la cultura decimonónica, cuando se aplica a episodios artísticos anteriores se corre el riesgo de hacer un uso anacrónico o poco riguroso del concepto.

retablo Estructura arquitectónica decorada con pinturas y/o esculturas que se coloca detrás del altar en muchas iglesias cristianas. Aunque los retablos presentan numerosas variantes formales y estilísticas, pueden definirse unos componentes esenciales que se han mantenido a lo largo de su evolución histórica: presentan un basamento denominado predela o banco, a veces doble, y un cuerpo principal dividido en pisos (subdivisiones horizontales) y calles (subdivisiones verticales), estas últimas separadas en ocasiones por otras subdivisiones más estrechas (entrecalles). La calle central se prolonga a veces por encima del último piso formando un ático. Para proteger el retablo solía colocarse una polsera o guardapolvo en saledizo sobre el piso superior, y en ocasiones se disponían también unas puertas sujetadas por goznes en los extremos laterales. Los primeros retablos conocidos, de dimensiones reducidas, se remontan al románico*, pero es durante el gótico* cuando adquieren verdadera carta de naturaleza; proliferan durante el Renacimiento* y el barroco*, especialmente en España e Hispanoamérica.

retrato Género pictórico, escultórico y fotográfico basado en la representación de la efigie de una o varias personas. Los primeros retratos conocidos se remontan al antiguo Egipto; desde entonces y a lo largo de casi toda su historia, el género mantuvo una estrecha vinculación con funciones religioso-funerarias y representativas. Los retratos no se han concebido tradicionalmente como meras transcripciones más o menos naturalistas* de los rasgos de una persona, sino como vehículos para preservar la imagen de un difunto (de cara a un supuesto viaje de ultratumba o como referente simbólico para sus descendientes) o para expresar el poder político o militar de un personaje relevante. Esta última función implica la necesidad de someter la representación del individuo a una codificación formal y gestual; la figura debe aparecer acompañada de diversos atributos que simbolicen su poder o sus capacidades, y su expresión debe reflejar un determinado talante (equilibrio, fortaleza, nobleza, etc.). La culminación de esta alianza entre retrato y poder se produce en el retrato ecuestre, expresión de autoridad militar, y en el retrato de aparato barroco, exaltación de la imagen de los monarcas absolutos europeos. También en el barroco*, no obstante, algunos retratistas (Velázquez, Rembrandt) comienzan a subvertir las tradicionales funciones del género, representando personajes socialmente irrelevantes o profundizando pictóricamente en la psicología del retratado más allá de los límites del decoro; paralelamente, comienzan a proliferar los autorretratos, reflejo de la creciente consciencia subjetiva del artista*. Retrato y autorretrato se convertirán en géneros primordiales en el arte de los siglos XIX (*véase* Romanticismo) y XX; la aparición de la fotografía* trajo consigo la democratización del género y permitió que pintores y escultores pudieran explotar sus posibilidades expresivas sin sentirse condicionados por la exigencia de veracidad naturalista. Desde el punto de vista tipológico, según la porción de la figura que se incluya en la representación podemos distinguir entre el retrato de busto (del pecho hacia arriba), el retrato de tres cuartos (aproximadamente tres cuartas partes de la figura) o el retrato de cuerpo entero, y según el número de personajes incluidos en una misma obra nos encontramos con retratos individuales, dobles retratos (con dos figuras) o retratos colectivos o de grupo (muy frecuentes en la pintura holandesa del siglo XVII).

Renacimiento Con este término, generalizado por historiadores como Michelet y Burckhardt a mediados del siglo XIX, se hace referencia al proceso de cambios trascendentales producidos en la cultura y la sociedad europeas en los siglos XV y XVI, proceso que señala el paso de la Edad Media a la Edad Moderna, es decir, de la vieja cultura teocéntrica medieval a un nuevo orden intelectual profano, centrado en el hombre y la naturaleza, aunque siempre en un ámbito cultural netamente cristiano. Se trata de un fenómeno histórico de extraordinaria complejidad que afecta a todos los aspectos de la vida social, desde las artes, la literatura, la ciencia y la cultura en general hasta la organización del Estado y la estructura de la sociedad. Sus efectos se hacen notar en toda Europa con mayor o menor intensidad y de manera diferente en cada caso, por lo que definir un modelo de Renacimiento universalmente válido es una tarea prácticamente imposible, objeto además de permanente debate historiográfico. En el ámbito artístico, sus primeras manifestaciones se dan en Italia a finales del siglo XIV, pero en la mayoría de los países europeos no puede hablarse de arte y cultura renacentistas en toda la extensión de la palabra hasta el siglo XVI. El nombre alude a uno de sus rasgos más sobresalientes, especialmente en lo que se refiere a las artes: la recuperación y rehabilitación (el «renacer») de la cultura clásica grecorro-mana, preterida (aunque no totalmente olvidada, como se ha dicho a veces) durante la Edad Media y ahora consagrada como modelo formal e ideológico por el humanismo renacentista. Para el arte y la arquitectura, la vuelta al primer plano de los modelos de la Antigüedad clásica supone la incorporación de un nuevo repertorio de temas iconográficos y recursos formales que sustituyen (o al menos modifican sustancialmente) a los característicos del arte medieval: la arquitectura vuelve a utilizar los órdenes arquitectónicos* grecorromanos, adapta sus proporciones* a la lección extraída del estudio de los restos romanos y del tratado de Vitruvio (escrito en el siglo I a.C. y exhumado por los humanistas italianos de las bibliotecas monacales en el siglo XV), y reelabora las tipologías arquitectónicas existentes a la luz de las antiguas, todo ello en detrimento del repertorio estilístico gótico; las artes plásticas recuperan las iconografías paganas de la mitología clásica y, a menudo, las funden con temas cristianos; se desarrollan géneros ajenos a la tradición medieval como el retrato*, que exalta los nuevos valores asociados al individuo, centro fundamental de la nueva cultura humanística, como la fama y el prestigio. El arte y la arquitectura se convierten en medios de representación pública al servicio de monarcas y burgueses enriquecidos por el comercio, con lo que estos personajes se convierten en mecenas* y promotores de la actividad artística. La nueva concepción renacentista del hombre y de la naturaleza se manifiesta en un cambio radical de los sistemas de representación en las artes plásticas; los principales instrumentos de ese cambio son el descubrimiento de la perspectiva* lineal, y los avances en el conocimiento de la anatomía humana, que hacen posible la representación verosímil del cuerpo, sus movimientos y actitudes, así como el estudio y la representación del desnudo*, que vuelve a ser un tema legítimo para la representación artística también por influencia clásica. Los conceptos mismos de arte* y artista*, en fin, cambian sustancialmente con el Renacimiento y empiezan a adquirir los perfiles con los que los conocemos todavía hoy: la pintura y la escultura, que durante la Edad Media eran fundamentalmente técnicas al servicio de la teología y la producción de imágenes devocionales, aspiran ahora al rango de artes liberales, es decir, disciplinas intelectuales que requieren un vasto soporte teórico, y el artista, considerado como un artesano en la época medieval, reclama ahora su equiparación social y cultural a poetas y filósofos como resultado del carácter intelectual de su trabajo (la pintura es «cosa mentale», escribió Leonardo). En relación con todo ello (y con la necesidad de interpretar y codificar el legado de los antiguos), nace la teoría del arte*, y al redescubierto tratado arquitectónico de

Vitruvio se suman en el siglo xv los de Leon Battista Alberti sobre pintura, arquitectura y escultura, primeros eslabones de la tradición del clasicismo*, que vertebra toda la evolución del arte occidental hasta el siglo xix. Al reconocérsele a las artes un estatuto propio y autónomo surge también la necesidad de reflexionar sobre su pasado y su evolución, y en 1550 Giorgio Vasari publica *Le Vite de' più eccellenti architetti, pittori, et scultori da Cimabue insino a' tempi nostri*, texto inaugural de la historiografía del arte*.

La expansión del arte renacentista está vinculada a la difusión de los distintos modelos desarrollados inicialmente en Italia, donde suelen distinguirse tres grandes periodos que, en lo fundamental, responden a un esquema planteado ya por Vasari. Durante el siglo xiv (*trecento*), pintores como Cimabue y Giotto en Florencia o Duccio y los Lorenzetti en Siena, escultores como Nicola y Giovanni Pisano, y arquitectos como Arnolfo di Cambio configuran una etapa de transición en la que, todavía en un contexto medieval, empiezan a desarrollarse valores propios del arte renacentista, como el creciente naturalismo de las representaciones pictóricas o la presencia de modelos clasicistas en la escultura. Es en la segunda etapa, que coincide con el siglo xv (*quattrocento*) y a la que a veces se llama «primer Renacimiento», cuando se forja la identidad del arte renacentista.

La escuela florentina desempeña un papel central en este periodo, especialmente en los primeros años con la arquitectura de Filippo Brunelleschi, la escultura de Donatello, la pintura de Masaccio y la arquitectura y la labor teórica de Leon Battista Alberti; todos ellos protagonizan un episodio de intensa experimentación en el que se formula el concepto de la perspectiva, se generaliza su uso en pinturas y relieves y se reelabora de forma original el lenguaje artístico de la Antigüedad clásica; las aportaciones capitales de esta primera generación florentina serán desarrolladas de manera diversa a lo largo del *quattrocento* por artistas que suelen agruparse en escuelas en torno a las ciudades italianas más importantes. La tercera gran etapa, conocida como «Renacimiento clásico», «Renacimiento pleno» o «alto Renacimiento» (traducción literal de la expresión inglesa que no es aconsejable en español), transcurre en las tres primeras décadas del siglo XVI (*cinquecento*), y representa la madurez del sistema artístico desarrollado durante el *quattrocento,* expresa sobre todo en la obra de Leonardo, Rafael y Miguel Ángel. El centro fundamental de esta etapa culminante es la Roma pontificia, que busca equipararse en términos simbólicos a la antigua Roma imperial, aunque ahora bajo el signo del cristianismo. La principal alternativa al modelo florentino-romano surge en Venecia, donde se desarrolla la

Escuela Veneciana de pintura, que otorga un papel central al color frente al predominio del dibujo consagrado por aquél; iniciada en el *quattrocento* con Jacopo Bellini y sus hijos Giovanni y Gentile, culmina en la primera mitad del siglo XVI con Giorgione, Tiziano y Tintoretto; también durante ese siglo se da en Venecia un importante foco clasicista en arquitectura, cuyos máximos representantes son Serlio y Palladio, autores de sendos tratados de arquitectura de gran influencia posterior.

Los modelos italianos se introducen en el resto de Europa por la importación de obras italianas, la contratación de artistas italianos por monarcas y nobles deseosos de renovar su imagen a la luz de la nueva cultura o bien por la formación de artistas locales en Italia. En algunos casos, el nuevo lenguaje convive o se mezcla con sistemas artísticos medievales; ése es el caso en España del plateresco (estilo arquitectónico en el que se integran elementos decorativos de inspiración clasicista, como grutescos*, *putti** y órdenes grecorromanos utilizados de forma heterodoxa, en edificios de finales del siglo XV y principios del XVI en gran medida góticos o mudéjares) y el estilo Cisneros (denominación hoy casi en desuso que se refiere a edificios similares a los platerescos construidos con el patrocinio del cardenal Cisneros durante su regencia, entre 1507 y 1517), o del estilo manuelino en

Portugal (variedad del gótico flamí- gero que incorpora motivos clasicis- tas y otros de carácter orgánico o de inspiración marina y naval, y toma su nombre del rey Manuel I, en el trono entre 1495 y 1521). Caso aparte es el de la Escuela Fla- menca de pintura del siglo xv en los Países Bajos, que por su indepen- dencia de la teoría clasicista y de los modelos de la Antigüedad suele encuadrarse en el ámbito del góti- co*, pero cuya influencia en algu- nos países como España constituye una verdadera alternativa a la in- fluencia renacentista italiana. Ple- namente renacentistas son otros ca- sos de desarrollo original de los modelos italianos fuera de Italia en fechas más tardías, como el del pin- tor, grabador y teórico alemán Al- berto Durero (1478-1521) en Ale- mania; la tradición arquitectónica inaugurada por Philibert de L'Orme en Francia, de inspiración funda- mentalmente serliana, o el modelo clasicista, desornamentado y purista a que da lugar en Castilla, en la se- gunda mitad del siglo xvi, la obra de Juan Bautista de Toledo y Juan de Herrera en el Monasterio de El Escorial, conocido a veces como es- tilo *herreriano*.

rococó El término francés *rococo* surge a principios del siglo xix, en el contexto de la crítica neoclásica (*véase* neoclasicismo), para referirse despectivamente a un estilo decora- tivo desarrollado en Francia en la primera mitad del siglo xviii. Deriva de la palabra *rocaille* (rocalla), con la cual se designa un motivo deco- rativo a imitación de rocas, conchas y elementos vegetales empleado ini- cialmente en el diseño de jardines y que a principios del siglo xviii co- mienza a aplicarse a las fachadas e interiores de los edificios. Poste- riormente, el concepto de rococó se amplió para dar cabida a toda una serie de manifestaciones artísticas (edificios, mobiliario, objetos deco- rativos, pinturas y esculturas) rea- lizadas en el ámbito de las cortes europeas de la primera mitad del si- glo xviii y marcadas por la exube- rancia y el refinamiento decorati- vos; llegó incluso a convertirse en un concepto de época («la época del rococó») y a emplearse como adjetivo que caracterizaba la fase final y decadente en el desarrollo de un estilo. Las connotaciones ne- gativas del término comienzan a de- saparecer ya bien entrado el si- glo xx; las obras de arte del periodo en cuestión empezaron a contem- plarse como fruto de una reacción contra la solemnidad y el boato del barroco* triunfal y se asociaron a las ideas de delicadeza, intimismo y ele- gancia. Aunque muchos historiadores prefieren hacer un uso restrictivo del término y limitan su aplicación al ámbito de la arquitectura y las artes decorativas francesas de la primera mitad del siglo xviii y a su irradiación en las cortes de Rusia, España, el norte de Italia y, sobre todo, Europa central, el concepto de rococó se emplea con frecuencia para referirse a otras vertientes del arte francés de la época, como la pintura galante (Watteau, Fragonard), que adopta temáticas hedonistas y sensuales (la fiesta cortesana, el cortejo erótico) y una gran soltura formal, e incluso se relaciona con determinados episodios pictóricos desarrollados en otros países, como la obra de los *vedutisti* (pintores de *vedute*, singular: *veduta*, minuciosas vistas panorámicas de ciudades) venecianos (Canaletto, Guardi).

románico, arte El término «arte románico» fue acuñado a principios del siglo XIX para referirse a las manifestaciones artísticas desarrolladas en el Occidente cristiano entre la caída del Imperio romano y el inicio del gótico*, entendidas todas ellas como derivaciones del arte romano*. Esta amplia caracterización fue posteriormente matizada y acotada; los historiadores fueron percibiendo la enorme diversidad estilística de los diferentes episodios artísticos de la Alta Edad Media, y acabaron limitando cronológicamente el término e identificándolo con el estilo propio de la arquitectura y las artes plásticas de los siglos XI, XII y parte del XIII. Dichos siglos corresponden a un periodo marcado por el florecimiento de las órdenes monacales y el aumento de los intercambios culturales a través las rutas de peregrinación y las cruzadas; el nuevo marco cultural posibilitó la instauración de unas pautas artísticas relativamente unitarias en la mayor parte de Europa occidental. Se trata de un arte fundamentalmente religioso, culminación de un largo proceso que se inicia en los albores de la Edad Media con la precaria asimilación del sustrato clásico romano por parte de los invasores bárbaros, y va definiéndose, paralelamente a la consolidación del cristianismo occidental, en los diferentes episodios englobados bajo la denominación de arte prerrománico*. Todo este proceso cristalizará en diversas experiencias arquitectónicas desarrolladas en la Lombardía italiana, el sur de Francia y Cataluña (lo que se conoce como «primer románico», finales del siglo X y primera mitad del siglo XI), a partir de las cuales se iniciará un proceso de irradiación y diversificación regional que afectará a la mayor parte de Europa occidental (pleno románico, h. 1050-1150) y que en sus últimos desarrollos (h. 1150-1250) se verá claramente influido por la aparición de órdenes reformadoras como el Císter (*véase* arquitectura cisterciense*) y la rápida expansión de un nuevo estilo, el gótico.

Aunque la arquitectura civil (puentes, murallas, castillos*) experimenta un considerable impulso durante el románico, la principal tipología arquitectónica del nuevo estilo es la iglesia*, enmarcada por lo general en un conjunto monástico (*véase* monasterio). La iglesia románica suele construirse en piedra, con gruesos muros en cuyos sillares se observan a menudo los signos o marcas de cantero correspondientes a los distintos operarios que intervienen en la construcción; el grosor de los muros y la escasa ligereza estructural determinan la escasez de vanos y, por consiguiente, una limitada iluminación interna. Habitualmente es de planta de cruz latina, con una, tres o cinco naves y crucero o transepto; en las iglesias de peregrinación aparece la girola o deambulatorio que rodea por detrás el altar mayor facilitando la circulación de los fieles en torno a las reliquias. El elemento sustentante fundamental es el arco de medio punto sobre columnas o pilares; en el exterior también se emplean contrafuertes. Las naves se cubren con bóveda de cañón reforzada por arcos fajones; en el cruce de las naves y el transepto se levanta en ocasiones una torre o cimborrio. Cuando hay varias naves, la central es más ancha, y más alta, lo que permite abrir ventanas sobre las naves laterales; en las iglesias de mayor tamaño suele construirse sobre estas naves laterales una galería llamada tribuna. En el exterior se emplean diversos recursos decorativos que varían según regiones y periodos. El grosor de los muros determina el abocinamiento de los vanos y la decoración de éstos –especialmente de la entrada principal– con arquivoltas. En Lombardía se inventa un tipo de recubrimiento mural de gran difusión basado en los llamados arquillos y bandas lombardas, que determina la completa articulación del muro; en Italia, esta articulación se refuerza frecuentemente con un recubrimiento marmóreo bicromo. Sobre estas bases generales, la iglesia románica presenta numerosas variantes estilísticas regionales. En Francia, donde la arquitectura románica en general alcanza su mayor desarrollo, cabe distinguir hasta nueve escuelas regionales entre las que destacan las de Borgoña (altos cimborrios cuadrangulares y octogonales sobre el crucero, abundancia de arcadas decorativas: Cluny, Vezelay), Languedoc (donde se crea el propotipo de iglesia de peregrinación: Sainte-Foi de Conques, Saint-Sernin de Toulouse) y Normandía (gran desarrollo vertical de las naves, introducción de la ojiva en bóvedas sexpartitas: Mont Saint-Michel, Saint-Étienne de Caen); la influencia de esta última escuela cruzará el Canal de la Mancha y tendrá su mejor plasmación en la Inglaterra normanda (catedral de Durham). En Italia, el desarrollo de la arquitectura románica está marcado por el mayor peso de la herencia clásica romana y por el contacto con el arte bizantino* e islámico*. En Alemania (catedral de Worms, Santa María del Capitolio en Colonia) se deja sentir la herencia carolingia y otoniana, se desarrollan con frecuencia las iglesias de doble ábside y doble crucero, y proliferan las torres cilíndricas. En España, por último, la omnipresente influencia francesa, recibida a través del Camino de Santiago, se plasmará en un rico repertorio de edificaciones que culminan en la catedral de Santiago de Compostela; a ella hay que sumar la influencia lombarda en el área catalana, y el contacto generalizado con el arte islámico en plena época de Reconquista.

La escultura románica se caracteriza por su subordinación a la arquitectura (hasta el punto de que no se establece una distinción clara entre el arquitecto y el escultor) y su empleo ornamental en las arquivoltas y tímpanos de las fachadas y en los capiteles de las naves y claustros; sólo algunas tallas exentas en madera o marfil escapan al control arquitectónico. Las representaciones se inspiran en pasajes de los Evangelios; muchas de ellas tienen una clara intención pedagógica y doctrinal, aunque también las hay de carácter esotérico y compleja significación. Todas eluden conscientemente el naturalismo*: las figuras son rígidas y se yuxtaponen unas a otras en marcos abstractos; su tosca expresividad es un vehículo formal para la plasmación de la omnipotencia de Dios. Se trata de presentar algo que es esencialmente inmaterial, y de alejarse por tanto de todo tipo de contingencia que pudiera distraer la atención del fiel: desarrollos espaciales, texturas anatómicas y de ropajes, detalles narrativos y movimientos. Este mismo antinaturalismo caracteriza las realizaciones pictóricas del románico, que suelen dividirse en tres grupos: pinturas murales al fresco, pinturas so-

bre tabla y miniaturas*. Las dos primeras completan la decoración escultórica de la iglesia. Los frescos pueden llegar a recubrir la totalidad de la iglesia, pero cada parte de la misma suele reservarse a una temática concreta: en el ábside, el foco de mayor atención, suele encontrarse la representación de Cristo* Pantocrátor; en las paredes de las naves se representan distintas escenas evangélicas, y en los pies el Juicio Final. Las tablas se colocaban delante del altar (por lo que reciben el nombre de frontales o antipendios); presentan un esquema tripartito, con una imagen principal central (un Pantocrátor o una Virgen*) y los laterales frecuentemente divididos en dos pisos con escenas acotadas en cada uno de ellos.

romano, arte Si los comienzos del arte romano en los siglos IV y III a.C. se confunden con las etapas más tardías del arte etrusco*, sus fases finales, hasta la extinción formal del Imperio de Occidente en el 476 d.C., se solapan con el primer arte cristiano (*véase* arte paleocristiano y arte prerrománico) y los inicios del arte bizantino* en Oriente. Asimismo, la extraordinaria extensión del dominio romano, desde la Península Ibérica hasta Siria y Judea, y desde el norte de África hasta el Rin y el Danubio en su momento de máxima expansión, plantea problemas de delimitación entre el arte romano propiamente dicho y el de los pueblos autóctonos de sus provincias, especialmente en los territorios del Mediterráneo oriental, donde ya estaba asentado el Helenismo. De este modo, aunque el arte de la Roma antigua se nutre fundamentalmente del sustrato itálico-etrusco y de la aportación del arte griego*, su gran extensión temporal y espacial lo hace permeable a todo tipo de influencias y variantes. Por lo general, no existe –salvo para la pintura– un sistema de periodización específico para el arte romano, sino que se usan las denominaciones comunes de las distintas etapas de la historia de Roma; se habla así de arte tardorrepublicano (anterior al siglo I d.C.), arte de la época de Augusto y de las dinastías julioclaudia y flavia (coincidiendo con la constitución del imperio en el siglo I d.C. y momento culminante del arte romano), arte de la época de los Antoninos y los Severos (siglo II d.C.) y arte del Bajo Imperio o tardorromano (del siglo III en adelante). Será en la primera mitad del siglo II a.C. cuando, coincidiendo con el sometimiento de Grecia, se produzca el abandono definitivo de los modelos etruscos y la helenización del arte romano, que difundirá por la mayor parte de Europa las formas artísticas griegas, pero al adoptarlas las modificará, completando ese perfil de lo clásico que el arte occidental reconocerá después como modelo (*véase* clasicismo).

La arquitectura es el ámbito en el que Roma interpretará de forma más original el legado griego, tanto en lo técnico y constructivo como en lo formal y tipológico. A finales del siglo IV a.C. se empieza a utilizar el arco de medio punto que, aunque importado de la Magna Grecia (colonias griegas del sur de Italia y Sicilia), apenas existía en el mundo helénico; desde entonces la arquitectura romana no será exclusivamente arquitrabada, como la griega, sino que incluirá la posibilidad de cubrir las construcciones con bóvedas y cúpulas y abrirá un campo insólito a las obras públicas y de ingeniería, como puentes y acueductos. Hacia el 200 a.C. se empieza a cocer el adobe para hacer ladrillos; también se obtuvieron importantes progresos en los cementos utilizados tanto en la construcción como en la pavimentación de calzadas y vías públicas. De las posibilidades que se abren con la aplicación de estos avances técnicos a las formas arquitectónicas griegas surge la originalidad de la arquitectura romana, que adosará, por ejemplo, la columna griega al muro y la simultaneará con el arco, confiando a aquélla la faceta ornamental del edificio y a éste la función propiamente constructiva de soportar la estructura. Por otra parte, las demandas de una sociedad cada vez más poderosa, con su dominio asentado sobre territorios cada vez más extensos y con un aparato administrativo y cívico muy complejo, harán surgir nuevas tipologías arquitectónicas: el templo (*véase* templo grecorromano); la basílica, amplio salón rectangular porticado con columnas (y a veces rematado por ábsides en sus extremos), que servía como tribunal de justicia y lonja* comercial; el teatro*, basado en el griego pero con modificaciones características; el anfiteatro, recinto descubierto para juegos gladiatorios de planta oval o circular, con gradas en torno a un espacio central, que alcanzará su máxima expresión en el 70-80 d.C. con el Anfiteatro Flavio o Coliseo de Roma; el circo, espacio rectangular muy alargado, con los extremos rematados en curva, dividido en dos por un elemento vertical decorado con estatuas al que se llama espina y rodeado de gradas que se destina a las carreras de carros; el odeón, recinto cubierto de proporción vertical que se usaba como auditorio, casi exclusivo de la parte oriental del imperio; las termas, complejo arquitectónico de gran desarrollo monumental que incluía baños públicos (con *caldarium* o sala caliente, *frigidarium* o piscina fría, *tepidarium* o sala templada y *apoditerium* o vestuario, esquema que tomarán posteriormente los *hammam* o baños musulmanes), gimnasio y salas para diversos usos sociales; el arco de triunfo, estructura conmemorativa de victorias militares que consiste en un cuerpo bajo –decorado a menudo con relieves alusivos–, donde se abren uno o más arcos por los que pasa en triunfo la comitiva del general o emperador al que se celebra, y un cuerpo superior o ático

que recibe la inscripción laudatoria; y otras muchas de menor trascendencia posterior, como la curia o el *macellum* o mercado. Esta variedad de edificios públicos da idea del desarrollo y complejidad de la ciudad romana, tanto en la capital del Imperio como en las provincias; todas ellas se organizaban en torno al foro, gran centro cívico, comercial y representativo donde se agrupan los templos más importantes y los edificios administrativos, situado en el encuentro del *cardus* y el *decumanus,* las dos vías principales, perpendiculares y orientadas a los puntos cardinales, que sirven de referencia a toda la trama urbana. Respecto a la arquitectura privada, la casa romana se compone de dos partes diferenciadas: una pública, más exterior, que consta de un vestíbulo y un *tablinum* o salón de respeto en torno a un patio con el *impluvium* o piscina para recoger el agua de lluvia; y otra privada, más retirada e interior, con los *triclinia* o comedores y salas de estar en torno a un jardín rodeado de columnas (peristilo); la parte pública sigue el esquema de la casa etrusca, mientras que la privada se basa en la casa griega. Similar esquema, pero más complejo y con más habitaciones, siguen las *villae* o casas de campo de las que depende una explotación agrícola.
En las artes plásticas la influencia griega se deja notar en la escultura religiosa, ámbito en el que los romanos asimilan sus divinidades a las

helénicas, especialmente en época de Augusto (finales del siglo I a.C. y principios del I d.C.) y Adriano (mediados del siglo II d.C.). Sin embargo, Roma desarrollará también géneros característicos en este campo, como el retrato* funerario y conmemorativo heredado de los etruscos, al que los romanos dotarán de singular realismo, incluso en los retratos imperiales que testimonian a partir de la muerte de Augusto la condición divinizada del emperador. Típicamente romano es también el relieve histórico, que se desarrolla sobre todo en monumentos conmemorativos como los arcos de triunfo, el Ara Pacis de Augusto o las columnas en las que la escultura se desarrolla en fajas continuas que recorren el fuste de la misma en espiral, como en la columna trajana (113 d.C.). Roma también desarrolla una importante tradición pictórica que, por encontrarse los mejores ejemplos en las ruinas de la ciudad de Pompeya, se ha clasificado en cuatro etapas o estilos pompeyanos que acogen desde la simulación de mármoles y las perspectivas arquitectónicas en trampantojo (*véase* ilusionismo) hasta el paisaje, el bodegón y las escenas figurativas, casi siempre sobre soporte mural y relacionado con la decoración doméstica, aunque también se practica de forma secundaria el retrato sobre tabla, como los de la necrópolis de El Fayum, en Egipto (siglo II d.C.). En el ámbito de las artes decorativas, lo más destacado es el mosaico, que desarrolla temas similares a los de la pintura y se utiliza para decorar los suelos de casas y *villae*.

Romanticismo La diversidad de estilos e intereses apreciable en las manifestaciones artísticas a las que se engloba en el concepto de Romanticismo es tal que, con frecuencia, se recurre a definirlo más como una actitud vital que como un movimiento artístico propiamente dicho. Asumiendo esa diversidad casi inabarcable, que reduce al mínimo los rasgos comunes, puede decirse que se trata de un fenómeno cultural que afecta a una parte significativa de la literatura, la música y las artes plásticas de las últimas décadas del siglo XVIII y la primera mitad del XIX, y cuyo rasgo definitorio es la afirmación de la individualidad artística como única instancia legitimadora de la obra de arte, por encima de cualquier código o normativa y también por encima de la razón, puesto que el dominio del individuo se asienta mucho más sobre la pasión y las emociones que sobre la universalidad de aquélla: «Todos los sistemas son falsos –escribió Victor Hugo–, sólo el genio es verdadero.» En inglés del siglo XVIII, palabras como *romantick* o *romance* se relacionan con la fantasía literaria y las historias truculentas de ambiente medieval, y con ese vago sentido que denota lo imaginativo y extravagante se extiende su uso por toda Europa a principios del XIX para referirse a manifestaciones artísticas o literarias que escapan a la convención académica. En Inglaterra, el término se asocia a la recuperación de la arquitectura gótica para recrear espacios domésticos inspirados en la fantasía literaria, así como al concepto de lo pintoresco, que valora la irregularidad, la asimetría y lo característico frente a la regularidad, la geometría y lo universal, y se asocia en principio a la arquitectura del paisaje de los jardines ingleses del siglo XVIII, que a diferencia de los jardines geométricos del clasicismo francés consisten en amenos paisajes de apariencia natural inspirados en los fondos de los cuadros (de ahí el término «pintoresco»), con ríos y lagos artificiales, y ruinas construidas ex profeso. En Alemania, los orígenes del Romanticismo a finales del siglo XVIII están vinculados al grupo literario *Sturm und Drang* (*Tempestad y empuje,* que se recrea en la expresión del sentimiento de forma apasionada y melodramática), a la recuperación del folclore y las tradiciones artísticas y literarias populares (el nacionalismo, entendido como una suerte de individualismo de los pueblos, es una creación de la cultura romántica), y a la estética* de Kant y los filósofos del idealismo alemán (Schelling, Fichte, los hermanos Schlegel). Otro componente esencial del gusto romántico es el concepto de lo sublime, que hace alusión a aquello que está más allá de los límites de la expresión (las tormentas y fenómenos de la natu-raleza desatada, los abismos, la inmensidad y todo lo relacionado con el temor y la fascinación de lo que está fuera del control del hombre); este concepto fue descrito extensamente por Edmund Burke en *A Philosofical Enquiry into the Origin of our Ideas of the Sublime and the Beautiful (Indagación filosófica sobre el origen de nuestras ideas acerca de lo sublime y lo bello,* 1757), que alcanzaría gran difusión. Las ideas de lo sublime y lo pintoresco introducen horizontes estéticos distintos a la belleza basada en la proporción*, la claridad el equilibrio y la simetría* que monopolizaba el ideal de la tradición clásica, y abren el panorama a las ansias de expresión individual de los artistas. De este modo, la interpretación de la obra de arte sólo es posible desde la subjetividad del artista y del espectador; su significado ya no está previamente determinado, sino que queda abierto y a merced de la sinceridad o la autenticidad del artista, únicas exigencias que se le pueden hacer sin quebrantar su libertad creadora. De esta concepción romántica proceden los conceptos modernos de arte* y artista* aún vigentes, que mediatizan no sólo nuestra manera de ver el arte de nuestro tiempo, sino también el de épocas pasadas; buena prueba de ello es la proyección del concepto de romanticismo más allá de sus fronteras cronológicas para calificar cualquier episodio artístico, pasado o presente, en el que se aprecie una presencia significativa de lo subjetivo o lo emocional. El Romanticismo no se conforma con los modelos de la Antigüedad clásica y reivindica los estilos medievales, especialmente el gótico* como terreno abonado para la fantasía literaria, y también como momento en el que se forjan las identidades nacionales; esto se manifiesta en la arquitectura neogótica, desarrollada sobre todo en Inglaterra en la primera mitad del siglo XIX, y en los pintores que se agrupan en cofradías y hermandades a semejanza de los gremios medievales y vuelven su mirada a la pintura anterior al clasicismo renacentista, como los prerrafaelistas ingleses o los nazarenos alemanes. La tradicional jerarquía de los géneros pictóricos se difumina, y el paisaje*, medio ideal para proyectar los conceptos de lo sublime y lo pintoresco, se convierte en la manifestación más característica de la pintura romántica (J. M. William Turner y John Constable en Inglaterra, Caspar David Friedrich en Alemania). Hacia 1830, en Francia se aglutina un verdadero movimiento romántico en las artes y las letras que se contrapone al discurso académico oficial y al neoclasicismo*; en pintura, este debate se polariza en las figuras de J.-A. Dominique Ingres y Eugene Delacroix, por más que el clasicismo* del primero esté teñido de medievalismo y rasgos románticos, y que el segundo rechazara siempre la etiqueta romántica por su aversión –bien romántica, por cierto– a las escuelas organizadas. Con frecuencia se ha extrapolado este debate, y se ha presentado al neoclasicismo y el Romanticismo como fenómenos artísticos definidos por su mutua oposición; en realidad no es así, al menos hasta bien entrado el siglo XIX y sólo en la medida en que se identifique clasicismo exclusivamente con arte académico y oficialista. Romanticismo y neoclasicismo conviven como caras distintas de una misma época, y hay artistas que participan en diversa medida de ambos; en la propia Francia, la pintura romántica da sus primeros pasos entre los discípulos del taller de David, y determinadas maneras emocionales de relacionarse con la Antigüedad, aplicando incluso los conceptos de lo pintoresco y lo sublime, han llevado a crear el concepto de clasicismo romántico para referirse a la obra de arquitectos como Schinkel o Soane; además, fue la razón ilustrada vinculada al neoclasicismo la que abrió el camino al culto a la libertad individual y a la valoración de episodios distintos de Grecia y Roma con su estímulo a la investigación histórica y arqueológica.

S

sfumato Término italiano que designa un recurso pictórico inventado en el Renacimiento por Leonardo da Vinci, consistente en difuminar los contornos de objetos y figuras para lograr un mayor efecto de integración ambiental, como si los viéramos a través de un velo, un cristal empañado, la niebla o el humo *(fumo)*. En su *Tratado de la pintura,* Leonardo alude en repetidas ocasiones a la necesidad de evitar los perfiles o contornos netos en las representaciones: «no hagas los contornos de tus figuras de un color diferente de ese del campo donde se destacan, esto es: no deslindes tu figura de su campo por medio de un trazo muy acusado»; el *sfumato* le permitió superar la rigidez lineal que caracteriza gran parte de las imágenes pictóricas del *trecento* y el *quattrocento* y abrir paso al desarrollo de una pintura más naturalista.

Simbolismo Movimiento artístico desarrollado en Europa en las dos últimas décadas del siglo XIX y los primeros años del XX. El término se ha asociado tradicionalmente con una corriente literaria francesa opuesta al naturalismo y protagonizada, entre otros, por el novelista Joris-Karl Huysmans y los poetas Stéphane Mallarmé y Jean Moréas, este último autor de un *Manifiesto simbolista* publicado en el diario *Le Figaro* el 18 de septiembre de 1886. Aunque existen claras conexiones entre los literatos citados y los pintores simbolistas franceses (entre los que cabe destacar a Gustave Moreau, Puvis de Chavannes y Odilon Redon), desde el punto de vista artístico el Simbolismo se identifica con un movimiento con ramificaciones en toda Europa, y el calificativo de simbolista suele aplicarse a muy diversos artistas –sobre todo pintores– de Bélgica (Fernand Khnopff, James Ensor, Félicien Rops), Holanda (Jan Toorop), Inglaterra (Edward Burne-Jones, Aubrey Beardsley), Suiza (Arnold Böcklin, Ferdinand Hodler), Noruega (Edvard Munch), Austria (Gustav Klimt), Alemania, Italia y otros países. En la obra de todos ellos se advierte una clara reacción contra las corrientes dominantes del Realismo* y el impresionismo*, y una nueva valoración de la expresión pictórica simbólica, concebida como evocación y sugerencia, en los mismos términos que un poema o una composición musical. Los simbolistas no conciben el arte como un medio para la representación naturalista de la realidad, sino como un instrumento de profundización en la vida interior, en ámbitos irracionales, misteriosos y ocultos del ser humano. Sus iconografías remiten a temas malditos como la enfermedad, la muerte, la sexualidad (concretada a menudo en la imagen de la mujer fatal), o el mundo de los sueños y las pesadillas. El Simbolismo tuvo una considerable influencia en los pintores postimpresionistas, en especial en Gauguin, así como en diversos movimientos de vanguardia*, sobre todo el expresionismo* y el surrealismo*.

símbolo Aunque siempre puede apreciarse una vertiente simbólica en cualquier representación artística e incluso ciertas tendencias historiográficas han interpretado las obras de arte en general como símbolos culturales (*véase* historiografía del arte), en sentido estricto un símbolo es la representación convencionalmente establecida de una cosa por otra, normalmente de una entidad inmaterial (un sentimiento, una idea) mediante alguna figura del mundo físico, y como tal sólo aparece ocasionalmente en las creaciones artísticas, como un componente más de su iconografía*. Cabe distinguir diversos tipos de símbo-

los: la alegoría es la representación de una virtud, de un vicio o una idea abstracta (la verdad, el tiempo, la victoria, la paz) mediante una figura o un grupo de figuras con atributos característicos; en la Edad Media es frecuente la representación de la psicomaquia, o lucha alegórica entre las virtudes y los vicios. El emblema y la empresa son una especie de jeroglíficos que suelen ir acompañados de motes o versos que explican el contenido de los dibujos. Los emblemas se refieren a un contenido más general y social, mientras que las empresas son mensajes más crípticos, de tipo familiar, en los que por lo general no aparece la figura humana; ambos nacen en el Renacimiento y son una de las fuentes habituales de la iconografía artística en el siglo XVII. El escudo, por último, es un símbolo específico de un Estado, una población o una familia, compuesto por una serie de blasones, es decir, elementos animales, vegetales u objetos distribuidos sobre un campo (superficie interior) y en los timbres (adornos exteriores). Los elementos cromáticos utilizados en su decoración se denominan esmaltes, y se subdividen en «metales» (oro y plata), «colores» propiamente dichos (gules = rojo, azur = azul, sable = negro, sinople = verde, púrpura = morado) y «forros» (armiños, de color blanco o plata, y veros, del blanco al azul). La ciencia que se encarga de estudiar los escudos es la heráldica.

simetría En general, se llama así a la disposición idéntica de las dos mitades de un objeto a un lado y otro del eje (real o virtual) que las separa, aunque, en rigor, su definición sería más compleja, pues en geometría se distingue la simetría axial (es decir, respecto a un eje) de la simetría respecto a un punto o respecto a un plano. Como rasgo formal y recurso compositivo (*véase* composición), ha sido utilizado en muy diversos contextos artísticos, tanto por razones ideológicas o filosóficas (es la manifestación más simple y perceptible de la voluntad del artista de imponer un cierto orden a la obra) como por razones prácticas (permite trazar una figura entera, por ejemplo, trasponiendo y calcando media figura previamente realizada). En la tradición clasicista (*véase* clasicismo) la simetría ocupa un lugar de capital importancia; la convicción de que el cuerpo humano es simétrico (por más que su simetría no sea perfecta) hizo de este principio formal un modo de vincular el orden del arte al orden de la naturaleza (o, si se prefiere, de la creación) ya desde Vitruvio y los primeros tratadistas del Renacimiento*; en uno y otros el término simetría se vincula al concepto de proporción* y casi se identifica con él. La preferencia por esquemas compositivos simétricos en el arte y la arquitectura occidentales es, no obstante, más programática que estrictamente real en términos geométricos; en la pintura raramente encontramos escenas absolutamente simétricas, y en la arquitectura el principio se suele reconocer mejor en los planos que en los edificios construidos. Para ser más precisos, sería preferible hablar de axialidad, es decir, tendencia a distribuir los distintos elementos de una composición con referencia a un eje central, de forma que aquéllos ganan o pierden relevancia en la medida en que se acercan o alejan del mismo. Sortear explícitamente ese principio de axialidad se convertirá, a finales del siglo XIX y en el primer cuarto del XX, en un indicador fiable de en qué medida nos hallamos ante obras que buscan una alternativa moderna a los lenguajes académicos, especialmente en el campo de la arquitectura (*véase* Movimiento Moderno).

soportes arquitectónicos A los elementos verticales de apoyo que ejercen funciones sustentantes en las obras de arquitectura* se les llama de forma genérica pies derechos. Este término, sin embargo, sólo se emplea sin mayor especificación cuando se trata de elementos muy simples, sin configuración formal normalizada, como los fustes de madera desbastada que se usan a veces como soporte en la arquitectura popular. En la tradición arquitectónica culta existen dos tipos fundamentales de pie derecho, susceptibles cada uno de numerosas variantes: la columna y el pilar. La columna es un pie derecho de sección generalmente circular. Es el soporte más característico de la arquitectura occidental por ser el que utilizaban casi de forma exclusiva los griegos; éstos emplearon distintos tipos de columna que dieron lugar a los órdenes de la arquitectura clásica. La mayor parte de la columna consiste en un cuerpo cilíndrico y alargado llamado fuste, que puede ser enterizo (de una sola pieza) o estar formado por varias piezas superpuestas; entre éste y la parte del edificio sustentada por la columna se introduce una pieza que puede adoptar distintas formas denominada capitel, y, con frecuencia, bajo el fuste se añade una basa que lo separa de la superficie del suelo. Cuando las columnas son el soporte fundamental de un edificio, aparecen aisladas o exentas, agrupadas en series lineales a las que se llama columnatas; si una columnata se cierra acotando un recinto hablamos entonces de un peristilo, como el que forman las columnas que rodean todo el contorno del templo griego (*véase* templo grecorromano). Pero la columna también puede aparecer asociada a un muro o un pilar; entonces pierde su carácter de soporte estructural para transformarse en un refuerzo o, las más de las veces, en un añadido decorativo cuya función es tan sólo representativa o de articulación formal del muro al que se asocia. Según sea la relación de la columna con el muro distinguimos entre columnas separadas (casi tangentes al paramento que tienen detrás) y adosadas (las que aparecen recibidas o embebidas en él; éstas a su vez pueden ser medias columnas si la parte embutida equivale a la mitad de su sección, o de tres cuartos si tan sólo quedan embebidas en una cuarta parte); un caso especial de columna adosada es la columna entregada, cuyo fuste no es de una sola pieza embutida, sino de varias que forman parte del propio aparejo del muro*. Según la forma de su fuste, hay columnas salomónicas (con fuste de desarrollo helicoidal), geminadas (también llamadas pareadas, con fuste doble o gemelo), ofídicas (con dos fustes que se entrelazan entre sí como dos serpientes) y fajadas (con fajas o anillos salientes ciñendo el fuste a intervalos regulares, también llamadas rústicas), entre otras. Existen asimismo algunos tipos especiales de columna, como el balaustre (columnita formada por molduras rectas y curvas en la que se suceden alternativamente ensanchamientos y estrechamientos; se utiliza en la decoración de barandillas –llamadas entonces balaustradas– y, cuando se emplea a escala mayor, se llama columna abalaustrada), la cariátide (una escultura femenina que sustituye a una columna), el atlante o telamón (como la anterior, cuando la escultura es masculina), el estípite (soporte con forma de tronco de pirámide invertida) o la columna cóclida (columna monumental de grandes dimensiones con el fuste hueco y practicable, como la Columna Trajana de Roma).

A los pies derechos exentos de sección poligonal (aunque también los hay circulares), de mayor robustez y desarrollo menos normalizado en cuanto a forma y proporciones que la columna, se les llama pilares. Mientras que la columna es el soporte característico de las arquitecturas arquitrabadas, el pilar es más propio de las abovedadas, que a menudo concentran los empujes verticales en puntos concretos determinados por la luz de arcos y bóvedas; en estos puntos es preciso acumular mayor cantidad de masa construida, y se requieren, por tanto, soportes robustos. Los pilares pueden ser simples o fasciculados (cuando se les adosa un haz de baquetones –*véase* moldura–, como se hace a menudo en la arquitectura gótica* para dar continuidad en el plano vertical a los nervios de la bóveda). A los pilares adosados al muro se les llama pilastras, aunque éstas también pueden entenderse como una adaptación plana de la columna adosada, pues a menudo obedecen a las reglas formales y proporcionales de los órdenes clásicos. Cuando el pilar concentra una gran cantidad de masa (como ocurre, por ejemplo, en los soportes de los puentes de piedra), conformándose casi como un fragmento de muro entre dos vanos, se le llama machón.

Además de los pies derechos, la labor sustentante en la arquitectura puede ser asumida por otros elementos. El más habitual es el muro –especialmente en las obras de fábrica–, aunque, a diferencia de pilares y columnas, la de soporte no es su única función característica. Al espacio delimitado por dos series de soportes o dos muros de carga se le llama crujía. La morfología de los soportes, su relación con la estructura general del edificio y sus implicaciones en la generación y configuración de espacios arquitectónicos ha sufrido notables cambios con la generalización de nuevos materiales y tecnologías constructivas en sustitución de los tradicionales. La utilización del hierro colado y de fundición desde mediados del siglo XIX permitió adelgazar extraordinariamente los soportes y disminuir su número en la estructura. Aunque estos pies derechos metálicos adopten (sobre todo al principio) formas similares a las de las columnas tradicionales, su proporción nada tiene que ver ya con ellas, ni tampoco su manera de hacer visible la relación entre la carga y el soporte. La tradicional vinculación de la columna a los sistemas arquitrabados y de los pilares a los abovedados se diluye, y el soporte metálico tiende enseguida a tomar la forma de las piezas normalizadas y producidas en serie que se usan para su fabricación. Lo mismo ocurrirá (más acentuado si cabe) con la extensión de las estructuras de hormigón armado desde finales del siglo XIX; la condición dinámica y flexible de este material difumina las fronteras entre soportes y elementos sustentados, ya que ambos forman parte a menudo de una misma pieza; a veces, incluso los elementos verticales de la cimentación se elevan por encima del nivel del terreno (los *pilotis* o pilotes que Le Corbusier situó entre sus *Cinco puntos para una arquitectura nueva* en la década de los veinte), y dejan la planta baja del edificio totalmente diáfana, quedando éste literalmente levantado del suelo.

surrealismo Movimiento artístico de vanguardia* gestado en París en la década de los veinte. Pese a su enorme influencia en el panorama de las artes plásticas del siglo xx, sus orígenes son literarios: una serie de escritores, entre los que figuran Louis Aragon y André Breton (este último convertido en líder del movimiento), agrupados en torno a la revista *Littérature* (1919), protagonizan una reacción antibélica y antirracionalista en el periodo de entreguerras y afirman el poder creativo de las fuerzas inconscientes. Tras un periodo inicial de tanteos vinculado al dadaísmo*, entre 1922 y 1925 se sientan las bases del movimiento y se establecen los primeros métodos de trabajo: escritura automática, expresión bajo los efectos de la hipnosis o las drogas y relatos de sueños. En 1924 tiene lugar la presentación oficial del nuevo grupo: Breton publica el primer *Manifiesto del surrealismo* (definiéndolo como «automatismo

psíquico puro por cuyo medio se intenta expresar, verbalmente, por escrito o de cualquier otro modo, el funcionamiento real del pensamiento»), y aparece el primer número de un órgano de difusión, *La Revólution Surrealiste* (1924-1929), desde cuyas páginas insisten en la omnipotencia del inconsciente, interesándose especialmente por la obra de Freud, y en la ruptura con la lógica social, atacando a la familia, la religión y la moral. La publicación en 1925 de *El surrealismo y la pintura* por Breton sanciona la creciente influencia del movimiento en artistas plásticos como Max Ernst, André Masson y Joan Miró, quienes emprendieron la trasposición de los métodos automáticos y azarosos de los escritos surrealistas al ambito pictórico mediante el cultivo de técnicas espontáneas como la pintura automática, el *frottage* (transposición mediante frotamiento con un lápiz de las formas de una superficie rugosa –una madera veteada, por ejemplo– a una hoja de papel), el *collage** o el «cadáver exquisito» (dibujo compuesto por varias personas sin que ninguna de ellas conozca las partes realizadas por el resto). Paralelamente, se produce el acercamiento de los surrealistas a la izquierda política, que culmina con el ingreso de los principales líderes en el Partido Comunista Francés y el lanzamiento de un nuevo órgano de difusión, *Le surréalisme au service de la révolution* (1930-1933). La década de los treinta está marcada por la

surrealismo

expansión internacional del movimiento y la creciente implicación de numerosos artistas (René Magritte, Paul Delvaux, Ives Tanguy, Meret Oppenheim, Alberto Giacometti, Man Ray, Luis Buñuel, Oscar Domínguez) que cultivan las técnicas automáticas, pintan escenas oníricas escrupulosamente detalladas, o elaboran imágenes, construcciones y assemblages yuxtaponiendo objetos descontextualizados, así como por la influencia de Salvador Dalí, quien expone su método paranoico-crítico de sistematización de la confusión, gracias al cual se consagra el establecimiento de asociaciones e inter-pretaciones delirantes en pinturas y objetos. La aparición de la revista *Minotaure* (1933-1939) y la celebración de la primera Exposición Internacional del Surrealismo en 1938, con obras de más de sesenta artistas de quince países diferentes, consagran la proyección artística del surrealismo. En 1939 Breton y otros miembros del movimiento se exilian en Estados Unidos, desde donde influirán en tendencias posteriores del arte de posguerra, en especial las distintas versiones del informalismo* y en figuras de la vanguardia iberoamericana como Wifredo Lam o Roberto Matta.

T

teatro grecorromano El origen de las representaciones teatrales en la Grecia antigua parece hallarse en las danzas rituales en honor de Dionysos, que al principio se celebraban en el entorno de los santuarios y recintos sagrados. La necesidad de acomodar a los asistentes de modo que pudieran seguir la representación sin estorbarse la vista unos a otros debió de ser la razón que llevó a buscar lugares situados al pie de una colina para la celebración de estos ritos: los espectadores se distribuían en la ladera, y el coro de danzantes evolucionaba sobre una plataforma elevada. Ya en el siglo V a.C. los teatros estables eran una de las tipologías edificatorias que definían la identidad de la ciudad griega, aunque los primeros ejemplos bien conservados datan del siglo IV. Durante la época helenística, éstos se extienden por todo el ámbito geográfico de influencia griega y los romanos empiezan a construirlos también en sus ciudades, aunque introduciendo algunos cambios significativos en su configuración.

El teatro griego es un hemiciclo con gradas (*cavea*) que rodean un espacio circular central (*orchestra*) tras el que se alza un estrado (*skené, scaena* o escena); ambos se articulan por medio de una superficie de planta rectangular ligeramente elevada respecto a la *orchestra* denominada *proskenion, proscaenium* o proscenio, flanqueada por dos salas simétricas, utilizadas como almacén, a las que se llama *paraskenia*. Emplazado por lo general en un borde urbano, el teatro es uno de los mejores ejemplos de la característica integración de la arquitectura griega en el paisaje circundante: las gradas aprovechan una pendiente natural, por lo que carece de fachadas; su ubicación suele estar cuidadosamente elegida, de forma que desde la *cavea* se domina una parcela significativa de la ciudad, normalmente un templo o conjunto sagrado, como en el de Epidauro, que enmarca la vista del santuario de Asklepios o Esculapio. El coro, elemento fundamental de la dramaturgia helénica, se ubicaba en la *orchestra*, en cuyo centro se elevaba el *thyméle,* altar consagrado a Dionysos que recuerda la compleja condición cívica y religiosa a un tiempo del teatro en la *pólis*

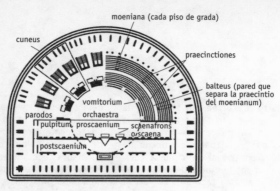

FIGURA 5. Planta de un teatro romano.

griega. La acción se desarrollaba sobre la escena, en cuya pared de fondo (llamada *scaenafrons* por los romanos y que solía estar pintada) se abrían tres o cinco puertas por las que entraban y salían los actores y se procedía al cambio de los decorados. La grada o *cavea* se divide en dos o tres pisos (llamados por los romanos *moeniana*, o bien, de abajo arriba, *ima, media* y *summa cavea*), separados entre sí por unas galerías (llamadas *diazomata* por los griegos y *praecinctiones* por los romanos) que facilitan la circulación horizontal a lo largo del graderío; la circulación vertical se realiza por medio de escaleras o *klimakes* distribuidas entre las gradas que dividen la *cavea* en sectores con forma de cuña llamados *kerkides* por los griegos y *cunei* por los

romanos. Estos últimos, a diferencia de los griegos, convierten el teatro en un edificio exento: sus gradas no aprovechan la topografía del terreno, sino que se elevan sobre una estructura construida y dan lugar a fachadas tanto por el lado de la *cavea* como por el del *postscaenium* o parte posterior de la escena; éstas se resuelven generalmente con la superposición de varios órdenes de columnas y arcos, rematada a veces por esculturas en la curva correspondiente al graderío. Esta condición exenta afecta a su emplazamiento urbano, que ya no se produce necesariamente en los límites de la ciudad; la estrecha vinculación al paisaje consustancial al teatro griego también se pierde. Por otra parte, el acceso a la *cavea* desde el exterior ya no es posible desde la parte más alta de la *summa cavea,* como ocurría en Grecia, sino que es preciso practicar unos túneles abovedados en la *ima cavea* (vomitorios) cuya ubicación se hace coincidir con la divisoria de los distintos *cunei.* La desaparición del coro en la dramaturgia romana trae consigo la reducción de la *orchestra,* que ahora es semicircular. A cambio, la escena y el proscenio ganan terreno, y entre ambos surge un nuevo elemento sobreelevado o *pulpitum;* la *scaenafrons* se transforma en una verdadera fachada interior articulada por arcos, columnas y estatuas. En la *cavea,* las *maeniana* se separan de las *praecinctiones* por medio de un parapeto o muro continuo llamado *balteus,* y el igualitarismo cívico del que disfrutaba el público teatral griego se ve ahora alterado con la disposición de tribunas de honor para el emperador o las vestales. En definitiva, aunque el teatro romano se basa en el griego, su tipología responde a necesidades y planteamientos culturales y cívicos muy distintos. Perdido ya el elemento ritual que las representaciones dramáticas habían tenido en Grecia, el teatro romano es un recinto para el divertimento público que servirá, a su vez, de base a otros edificios específicamente romanos consagrados al ocio, como el anfiteatro (*véase* arte romano).

tema 1. En una obra de arte figurativa se llama tema a su contenido narrativo, es decir, al asunto, escena o historia que representa. La noción de «tema» distingue este contenido narrativo del estrictamente formal, que queda recogido en el concepto de estilo*. Cuando un tema se vuelve recurrente y reúne un cierto número de elementos e imágenes constantes, se utiliza a veces el término iconografía* como sinónimo (se habla, por ejemplo, del tema o la iconografía del Descendimiento, o de Cristo con la cruz a cuestas). En este mismo contexto figurativo, el término «motivo» se usa a menudo como sinónimo de tema; sin embargo, aquél tiene un sentido más material, más próximo a lo concreto y específico de una obra determinada, mientras que a éste se le concede un valor más general y estrictamente narrativo. Podríamos decir, por tanto, que un objeto o una serie de objetos funcionan como motivo de una obra de arte cuando el artista se interesa fundamentalmente por sus propiedades aparentes o formales, mientras que componen un tema cuando su presencia en la obra se debe sobre todo a su significado en un contexto narrativo; por ejemplo, en las naturalezas muertas cubistas, los objetos representados en el cuadro se tratan más como motivos figurativos sobre los que el pintor proyecta su mirada o despliega sus recursos pictóricos, que como temas, en la medida en que no se pretende contar nada previamente determinado acerca o a propósito de ellos.

2. En un contexto no figurativo (y sobre todo en el ámbito decorativo), se llama tema a una configuración formal que se repite de forma destacada y sistemática en un conjunto. El uso del término en este contexto se asemeja al que se hace del mismo en el ámbito musical (por ejemplo, cuando se habla de los temas principales de un movimiento de una sinfonía refiriéndose a un grupo de notas o acordes que se repiten sistemáticamente en él). A las configuraciones convencionales que forman un determinado repertorio decorativo se les llama también motivos; así, la greca, la voluta o la palmeta son ejemplos de motivos decorativos característicos.

templo grecorromano Los antiguos griegos y romanos concebían sus templos como moradas de los dioses, y no como centros de reunión de una comunidad de fieles; el culto a las divinidades tenía lugar al aire libre, en un espacio acotado adjunto (*témenos*) en el que se disponía un altar sacrificial. A partir del siglo VIII a.C. se tiene constancia de la construcción de los primeros templos en adobe y madera, cuya estructura parece derivar del *mégaron* micénico*: una habitación longitudinal –*oikos*– destinada a albergar al dios materializado en su estatua y precedida de un pórtico columnado *in antis* (flanqueado por la prolongación de los muros laterales). La monumentalización y regulación canónica de esta estructura templaria se gestará durante el periodo orientalizante (*véase* arte griego) y culminará en los primeros templos arcaicos levantados hacia el año 600 a.C. (templo de Hera en Olimpia, templo de Artemis en Corfú); a partir de entonces, y con escasas modificaciones a lo largo del tiempo, los templos griegos (como el de Zeus en Olimpia o el celebérrimo Partenón de Atenas) se construyeron con grandes sillares de piedra sobre una planta rectangular. El núcleo principal del edificio era la *naos* o *cella,* sala destinada a albergar la estatua del dios y precedida de un pórtico columnado *(pronaos)* cuyos muros laterales se remataban con pilastras *(antae);* una estancia trasera (el *opistodomos*) servía para albergar ofrendas, o bien hacía la función de falso pórtico posterior. Todo ello se erigía sobre un basamento formado por sillares irregulares de piedra (estereobato) seguido por una plataforma escalonada *(crepidomos)* cuyo escalón superior se denomina estilobato. Una o varias hileras de columnas se disponían delante del *pronaos* (configurando un templo próstilo), ante el *pronaos* y el *opistodomos* (templo anfipróstilo), o formando un peristilo a lo largo de todo el perímetro del estilobato (templo períptero, el más frecuente). Las columnas del peristilo (o los muros, en caso de no existir éste) sustentaban un entablamento formado por la superposición de un arquitrabe o epistilion, un friso y una cornisa o geison; esta

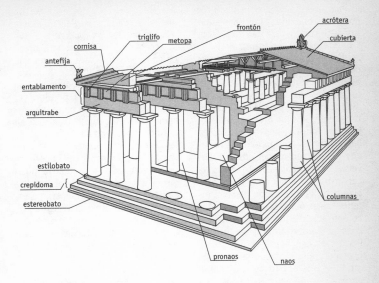

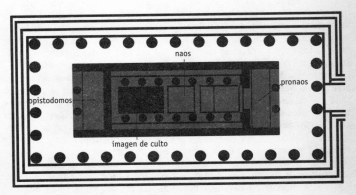

FIGURA 6. El templo griego. Alzado y planta.

última delimitaba una techumbre a dos aguas que en las fachadas anterior y posterior definían dos espacios triangulares o frontones. La configuración de las distintas partes de las columnas y el entablamento, así como la ubicación de los diferentes motivos decorativos, respondían a una serie de órdenes* arquitectónicos; dichos órdenes (dórico, jónico y corintio) marcaban también las relaciones proporcionales de todos los elementos del edificio. Diversas «anomalías» constructivas (la curvatura del estilobato y el entablamento, la inclinación hacia el interior de las paredes de la *naos* y las columnas exteriores, el éntasis o ensanchamiento inferior de los fustes de las columnas) se han interpretado como recursos para corregir ilusiones ópticas y lograr una perfecta visión geométrica del conjunto. La decoración escultórica del templo, formada por los relieves narrativos del friso y los frontones y las figuras o motivos que rematan los vértices de los frontones (acróteras) o los bordes inferiores del tejado (antefijas), se completaba con la policromía de vivos colores (con predominio del rojo y el azul) aplicada a esculturas y molduras diversas; los fustes de las columnas y las paredes exteriores de la *naos* se dejaban en blanco.

El templo romano resulta de la aplicación de los órdenes arquitectónicos griegos (y el consiguiente sentido de la proporción derivado de los mismos) sobre el esquema del templo etrusco*: un edificio de planta rectangular erigido sobre una plataforma elevada *(podium)*, al que se accedía por una escalinata situada en uno de los lados menores que daba paso a un pórtico columnado anterior a la *cella*; las columnas que rodean a esta última pueden ser exentas o adosadas al muro. Los romanos, sin embargo, diversificaron la tipología templaria en función de las diversas tradiciones constructivas de las provincias del Imperio, y crearon templos con planta poligonal o circular como el célebre Panteón de Roma y complejos santuarios (como el de la Fortuna Primigenia en Palestrina) articulados en varios niveles, recurriendo con frecuencia en ellos al uso del arco y la bóveda.

teoría del arte La reflexión teórica sobre las diferentes prácticas que relacionamos con el concepto de arte* tiene su origen en el mundo grecorromano; sin embargo, hasta el Renacimiento* no nos encontramos con un verdadero corpus teórico específicamente artístico reflejado en tratados y libros canónicos. A partir de entonces y hasta el cuestionamiento de la normativa académica a finales del siglo XIX asistiremos a la proliferación de textos que definen, limitan y jerarquizan los distintos aspectos del fenómeno artístico. La ausencia de una verdadera teoría del arte en el mundo clásico sin duda tiene que ver con el desprecio generalizado que griegos y romanos mostraron por la vertiente material de la actividad artística, aunque quizá sea también necesario tener en cuenta una probable pérdida de fuentes (la principal excepción a este vacío teórico es el tratado de Vitruvio *De Architectura Libri Decem,* del siglo I a.C.). No obstante, el discurso filosófico y el desarrollado en los talleres por los propios artistas fueron definiendo una serie de conceptos normativos que sirvieron de base para el posterior desarrollo de la teoría del arte moderna: la idea de *mímesis* o imitación de la naturaleza (Platón), el concepto de forma y la función moral de la obra de arte (Aristóteles), la valoración de la expresión y la plasmación formal de las emociones (Jenofonte), o las nociones de simetría y ritmo (Policleto, Jenócrates). Durante la Edad Media, muchos de estos conceptos se disolverán en el marco del discurso teológico; la creencia en la existencia de un abismo entre lo celestial y lo terrenal refuerza el desprecio clásico por el componente material del arte e imposibilita el desarrollo de una teoría artística autónoma. Sólo en la Baja Edad Media comienza a detectarse una nueva valoración de la habilidad del artista y de la capacidad seductora de la obra de arte (en los escritos de Suger de Saint Denis o Bernardo de Claraval, por ejemplo), al tiempo que encontramos los primeros textos normativos procedentes de talleres de artistas, escritos fragmentarios y de carácter práctico, sin excesivas disquisiciones intelectuales, como el tratado de Teófilo *Sobre las diversas artes* (siglo XII) o el *Álbum* arquitectónico de Villard de Honnecourt (siglo XIII). Es en el *quattrocento* cuando se produce una primera formulación explícita de una teoría del arte. Leon Battista Alberti, arquitecto y humanista, sistematiza en tres tratados (*Della Pittura,* 1435; *De Statua,* 1464, y *De Re Aedificatoria,* 1450) una concepción del arte basada en la imitación selectiva de la naturaleza que requiere el establecimiento de un método de trabajo científico, basado en la perspectiva*, con vistas a la consecución de la belleza, identificada con los conceptos de simetría y *concinnitas* o armonía, y dentro de un marco de adecuación entre el carácter de lo representado y su apariencia formal (decoro). Años más tarde, Leonardo da Vinci opta en sus escritos teóricos por una mayor valoración de la emoción y la experiencia sensorial individual frente a la normativa albertiana, desarrollando conceptos como la perspectiva aérea o el *sfumato*; se interesa también por la naturaleza específica de las diferentes artes, otorgando la primacía a la pintura frente a la música o la escultura. El gran desarrollo que adquiere durante el Renacimiento el género del *paragone* o comparación entre las distintas artes refleja el interés de los artistas por equiparar su labor a la de los poetas (siguiendo la máxima de Horacio *Ut Pictura Poesis* –como la pintura, así también es la poe-sía–). El reconocimiento del valor intelectual de la pintura alcanzará su cima en *Le vite de' più eccellenti architetti, pittori, et scultori* de Giorgio Vasari, donde se acuña el concepto de *disegno* (*véase* dibujo) como fundamento de todas las artes; junto con el *disegno,* otros conceptos normativos expuestos por Vasari, como la *grazia* (elegancia, delicadeza y dulzura que fundamentan la belleza) o la *facilità* (habilidad artística y capacidad de convicción), ejercerán una gran influencia en la abundante tratadística del Renacimiento tardío y el barroco (Vicenzio Danti, Giovanni Battista Armenini, Paolo Pino, Lodovico Dolce, Giovanni Paolo Lomazzo, Federico Zuccari, Giovanni Bellori...). En el siglo XVII se inicia el progresivo desplazamiento de la reflexión teórico-artística desde Italia hacia otros países, en especial Francia, al tiempo que comienza el desarrollo de las academias. Alrededor de la Academia Francesa y de su director, Charles Le Brun, se establecerán las bases de una rígida teoría del arte de alto contenido moral y literario, supeditada a la consecución de *le beau idéal,* la belleza ideal. Sin embargo, en el seno de la propia Academia aparecen pronto síntomas que anuncian el fin de la teoría del arte como marco normativo absoluto. André Félibien, su primer secre-tario, criticaba publicamente la tiranía de las reglas, y Roger de Piles planteaba en obras como *Abrégé de la vie des peintres* (1699) la aceptación gustosa de la variedad de estilos y tendencias nacionales, al tiempo que se oponía a fundamentar la práctica del arte en el *disegno* y abría un debate sobre el papel del color en la pintura. A lo largo de los siglos XVIII y XIX, el discurso normativo sobre el arte, refugiado en el marco académico, entraría en contradicción con la realidad compleja y plural del arte contemporáneo, y la teoría del arte acabaría disolviéndose en el ámbito disciplinar de la estética* y la historiografía* del arte.

textura Efecto que produce la disposición superficial del material en una obra de arte, ya sea esta bidimensional o tridimensional. En pintura, la textura está en relación directa con la mayor o menor fluidez del pigmento utilizado, es decir, con su empaste; con un pigmento grueso o empastado (y aún más si se mezcla con sustancias grumosas, como la arena) se logra una textura expresiva, impactante; un pigmento fluido y una textura suave contribuyen a conseguir un cierto distanciamiento del espectador. En la escultura (y también en las superficies de los elementos arquitectónicos) se emplean también distintas texturas.

V

vanguardia, arte de Se denomina arte de vanguardia a un conjunto de experiencias artísticas desarrolladas en el seno de la cultura occidental entre los primeros años del siglo xx y la Segunda Guerra Mundial. En este breve lapso de unos cuarenta años, los artistas de vanguardia llevaron a cabo una verdadera revolución que no sólo afectó a la vertiente estilística y formal de sus creaciones, sino que determinó una completa mutación del concepto de arte* y del papel que se le había atribuido en la sociedad burguesa. Para lograr sus fines, los protagonistas de esta revolución (no sólo los artistas, sino también numerosos intelectuales y críticos, así como algunos galeristas y mecenas) se organizaron en grupos y desarrollaron estrategias de lucha contra el sistema (de ahí su identificación con un concepto de uso militar, «vanguardia»), organizando eventos y exposiciones, publicando artículos, panfletos y manifiestos, y manteniendo fructíferos contactos con creadores de otros países o tendencias. La efervescencia cultural de estos años se concretó en un panorama múltiple de experiencias: de hecho, los vanguardistas nunca con-

figuraron una tendencia o un estilo unitario, sino que plantearon diversas propuestas innovadoras concretadas en *ismos* que se solaparon y sucedieron vertiginosamente en el tiempo y el espacio (cubismo*, futurismo*, expresionismo*, constructivismo*, dadaísmo*, surrealismo*) e incluso en el seno de la obra de un mismo artista (Picasso). La multiplicidad y el carácter abierto de las nuevas experiencias (que ha llevado a muchos críticos a hablar de «vanguardias» –en plural– frente a «vanguardia») no es otra cosa que un reflejo de la propia concepción de la obra de arte como una entidad fragmentaria, intestable y subjetiva, como una obra abierta frente a la totalidad de sentido que imponían las creaciones artísticas clásicas, unitarias, inmutables y «verdaderas». Los vanguardistas rompen los límites de los tradicionales géneros y jerarquías artísticas (pintura/escultura/arquitectura; Bellas Artes/artes aplicadas; arte de elite/arte popular; obra única/obra múltiple), y proponen una nueva relación entre el artista, la obra y el espectador, invitando a éste a participar en el proceso creativo, a dar sentido a la nueva creación. Por encima de todo, tras la mayor parte de las experiencias de vanguardia se trasluce el deseo de destruir la institución Arte entendida como un ámbito separado de la praxis vital y proyectar una integración utópica del arte en la vida cotidiana. La diferente valoración de este componente utópico por parte de los historiadores ha introducido una considerable confusión a la hora de acotar el arte de vanguardia en su conjunto; así, mientras que algunos extienden su influencia prácticamente hasta nuestros días, para otros el proyecto transformador implícito en las vanguardias entra en crisis ya en la década de los veinte, con lo que se ha dado en llamar la «vuelta al orden» (una compleja reacción frente a las innovaciones que se detecta en la obra de numerosos artistas), y fracasa estrepitosamente tras los desastres de la Segunda Guerra Mundial, abriendo paso a actividades vanguardistas residuales. En cualquier caso, el tiempo transcurrido desde las innovaciones heroicas de los años veinte y treinta nos permite ya hablar de unas vanguardias históricas, de una vanguardia convertida en tradición ineludible a la hora de trazar cualquier desarrollo artístico futuro.

En sentido más genérico, después de la época propia del arte vanguardista se llama a veces «arte de vanguardia» a cualquier experiencia artística con clara vocación experimental y rupturista. Por otro lado, el término se proyecta también retrospectivamente, y se habla, por ejemplo, del realismo de Courbet o del impresionismo como episodios vanguardistas en el arte del siglo XIX.

vano En arquitectura se denomina así a los huecos abiertos en un muro para permitir el paso entre dos espacios o piezas diferentes y facilitar la ventilación e iluminación natural de los interiores, dando lugar a las puertas y ventanas. Los vanos pueden rematarse en su parte superior con un arco* o de forma plana, con una pieza paralela al piso llamada dintel, para descargar de este modo la parte de muro que queda por encima; un dintel puede estar formado por varias dovelas o piezas unidas, o bien por una sola pieza monolítica denominada platabanda. Los laterales de un vano, que pueden estar o no resaltados por una columna o pilastra y trabajados con motivos decorativos, son las jambas, y la luz o distancia entre ambas jambas puede estar dividida por uno o más soportes intermedios a los que se llama parteluces o maineles. La parte inferior de un vano, opuesta al dintel, se llama umbral; en las ventanas, la parte inferior puede dar lugar a una repisa horizontal o alféizar. A veces, sobre el dintel puede situarse una moldura gruesa, de sección rectangular y levemente volada a la que se llama guardapolvo; en el caso de las puertas, si lo que aparece sobre el dintel es una estructura horizontal o curva y volada a modo de dosel se le denomina marquesina. Los vanos pueden adoptar diversas configuraciones, por su forma y por el tipo de cerramiento y carpintería que se les aplique, que dan lugar a distintas tipologías; entre ellas destacan las siguientes: la ventana veneciana o serliana o ventana palladiana es un vano tripartito con la parte central más alta y rematada en arco de medio punto, y las dos laterales adinteladas y más bajas, a la altura de la línea de imposta del arco central; las tres luces están separadas por maineles en forma de columna o de pequeños pilares; su origen está en la arquitectura veneciana del siglo XVI y, a partir de la obra de Andrea Palladio, se incorporó al vocabulario de la arquitectura clasicista, especialmente en Inglaterra y Estados Unidos. El vano termal también está vinculado a la influencia palladiana, aunque, como indica su nombre, ya era usado por los romanos; consiste en una abertura de forma semicircular con la luz dividida en tres por maineles. El óculo es un vano de forma circular y generalmente pequeño, a diferencia del rosetón, cuyas dimensiones suelen ser mayores; es característico de las fachadas occidentales de las iglesias góticas, donde suele cerrarse con vidrieras coloreadas y tracerías de piedra de forma radial, que lo hacen asemejarse a una flor multicolor. La ventana de ángulo es un vano que da a dos fachadas en esquina, con un parteluz en la arista que une a ambas; suele estar profusamente decorada y es característica de la arquitectura civil renacentista andaluza del siglo XVI. La *Chicago window* («ventana Chicago») es una ventana tripartita de carpintería metálica cuya parte central, cuadrada y más grande, es fija, mientras que las extremas, rectangulares y alargadas, son móviles y se desplazan sobre rieles; se trata en realidad de una ventana prefabricada que se monta sobre todo el ancho de un cuerpo avanzado del edificio correspondiente a una planta; fue inventada en el Chicago de las últimas décadas del siglo XIX y es característica de los primeros rascacielos* diseñados por los arquitectos de la Escuela de Chicago. Los miradores son vanos cuyo cerramiento se proyecta en voladizo hacia fuera de la fachada, bien por medio de una estructura autoportante de madera o metal, bien apoyando en una repisa que se ancla al muro de la fachada; entre ellos están el ajimez o celosía en voladizo sobre una ventana, de evidente origen árabe (también se llama así a un vano pareado constituido por dos arcos que descargan sobre un mainel central); la *bay window*, mirador de planta rectangular característico de la arquitectura inglesa, y la *bow window*, mirador de planta curva también típico de la arquitectura inglesa. En la arquitectura contemporánea los muros de fachada, liberados de toda función portante, permiten la apertura de vanos sin limitación ninguna de forma o dimensión; por eso, las ventanas horizontales que se extienden como bandas a la mayor parte o la totalidad del ancho de fachada (*fénêtres en longueur,* las llama Le Corbusier) son una de las señas de identidad de las primeras obras del Movimiento Moderno*.

Venus La diosa romana del amor, la belleza y la fertilidad, identificada con la Afrodita griega, es probablemente el personaje mitológico clásico más representado de la historia del arte, ya sea en el marco de diversas iconografías* o como mero pretexto para la plasmación de la imagen idealizada del cuerpo femenino. Los antiguos griegos y romanos distinguían entre una Venus *urania,* vinculada a la idea del amor casto y matrimonial, y una Venus *pandemia,* relacionada con los amores carnales. En el Renacimiento, estas dos versiones de la diosa inspiraron las imágenes de la Venus sagrada o celestial (símbolo del amor que surgía de la contemplación de lo divino y habitualmente representada desnuda) y la Venus profana o terrenal (ataviada con ricas vestiduras y joyas e identificada con la belleza del mundo material y el principio de la procreación). La diosa protagoniza numerosos episodios mitológicos (con Marte, con Adonis, etc.) y ha sido plasmada en muy diversas actitudes a lo largo de la historia: saliendo del baño, mirándose en un espejo que sostiene *Cupido* (su hijo, símbolo de la pasión amorosa), ocultando ciertas partes de su cuerpo (Venus púdica),

dormida, recostada, en cuclillas, etc. También se ha representado con cierta frecuencia su nacimiento en el mar (Venus *anadiomene*) o su posterior aproximación a la costa, acompañada de delfines y flotando sobre una concha de vieira. Este último motivo sirve de inspiración para la venera, un elemento decorativo en forma de gran concha convexa que se emplea con frecuencia en las construcciones clasicistas*, tanto en el mundo grecorromano como en el Renacimiento y el barroco, y en ocasiones se aplica a las cubiertas arquitectónicas*, dando forma a pechinas y bóvedas aveneradas.

Virgen Las representaciones de la Virgen María apenas existen en el primer arte cristiano, pero a partir de la Edad Media constituyen uno de los filones temáticos más característicos del arte religioso. Las primeras iconografías* marianas se codifican y difunden en el ámbito del arte bizantino* a mediados del siglo IX, una vez superada la crisis iconoclasta (movimiento religioso que condenaba el culto de las imágenes como idolatría). La figura de María cobra enseguida una especial importancia teológica como elemento clave para explicar la doble naturaleza (humana y divina) de Cristo*, puesta en duda por algunas herejías altomedievales; por eso el arte bizantino la presenta como *Theotócos* o «Madre de Dios», sentada en disposición frontal y con el Niño sobre su regazo. De este modo, la presencia de María corrobora la condición humana de su hijo a la vez que le sirve de trono proclamando su gloria; a veces, el Niño aparece sobre el brazo izquierdo de su madre, que lo señala con su mano derecha mostrándolo como única vía de salvación (María *Hodigitria* u *Hodgetaira,* por el monasterio constantinopolitano de Hodgeton, donde se conservaba una imagen de esas características que la tradición atribuía a la mano de san Lucas). La *Theotócos* bizantina es el origen de las iconografías marianas más difundidas en la Baja Edad Media, que destacan la capacidad de la Virgen para interceder por los hombres e incitar la misericordia de Cristo. De ella derivan la *Maestà* o Majestad (imagen de María entronizada con el Niño en brazos y rodeada a veces de ángeles y santos, muy frecuente en la pintura italiana de los siglos XIII y XIV), y las numerosas representaciones de la Virgen y el Niño en distintas actitudes que pueblan la escultura y la pintura góticas y renacentistas; su gran frecuencia en el arte italiano ha universalizado el uso del término «madona» (del italiano *Madonna,* «Virgen») para referirse a ellas en el contexto de la Italia gótica y renacentista. Buena parte de la iconografía mariana alude a episodios evangélicos de los que la Virgen es protagonista; así, en la Dormición o Tránsito, también de origen bizantino, aparece dormida y rodeada por los apóstoles antes de la Asunción (ascensión a los cielos en cuerpo y alma asistida por los ángeles, lo que la diferencia de la Ascensión propiamente dicha de Cristo, que no necesita de ayuda externa), iconografía que sustituye a la Dormición bizantina en el arte de Occidente; la Anunciación presenta a María, levemente inclinada y con las manos recogidas sobre el pecho en señal de acatamiento del designio divino, con el arcángel Gabriel, que le anuncia su próxima maternidad; y en la Piedad sostiene entre sus brazos el cadáver exangüe de Cristo. Por otra parte, están las iconografías estrictamente devocionales, en las que la imagen de María se asocia a los atributos de sus distintas advocaciones, como en la Inmaculada, que representa la exención del pecado original propia de la Virgen según la doctrina católica mostrándola de cuerpo entero sobre un fondo celestial, con la serpiente que simboliza el pecado original a sus pies (es un tema característico de la pintura española del siglo XVII por su carácter polémico frente al protestantismo); la Virgen de la Misericordia, en la que un grupo de fieles arrodillados se cobija bajo su manto; o la Dolorosa (iconografía fundamentalmente escultórica característica de la imaginería barroca española), que simboliza su dolor por la muerte de Cristo mediante una espada que le atraviesa el corazón, donde se advierte la señal de siete heridas, o bien con siete espadas o puñales clavados en el mismo.

Bibliografía comentada

Historias generales del arte y de la arquitectura

GOMBRICH, E. H. (1997): *Historia del arte,* Madrid, Debate/Círculo de Lectores. Publicado por vez primera en 1950 y revisado y completado a lo largo de cuatro décadas, este célebre ensayo es probablemente el libro de historia del arte más vendido de todos los tiempos. Aunque el paso de los años se deja sentir en algunas de sus tesis (sobre todo en las referentes al arte contemporáneo), sigue siendo un interesante texto introductorio al fenómeno artístico.

JANSON, H. W. (1990-1991): *Historia general del arte,* Madrid, Alianza Editorial. Dividida en cuatro volúmenes (1. *El mundo antiguo,* 2. *La Edad Media,* 3. *Renacimiento y Barroco* y 4. *El mundo moderno*) para su publicación en España, la Historia del Arte de Janson combina la amenidad con el rigor, al más puro estilo anglosajón.

KOSTOF, S. (1988): *Historia de la arquitectura,* Madrid, Alianza Editorial. El investigador de la Universidad de Berkeley Spiro Kostof publicó en 1985 esta obra, dividida en tres volúmenes para su edición en España. En ella ofrece una amplia visión del fenómeno arquitectónico desde una perspectiva integradora. Con más de 800 ilustraciones.

PEVSNER, N. (1994): *Breve historia de la arquitectura europea*, Madrid, Alianza Editorial. Sugerente ensayo introductorio a la historia de la arquitectura en Europa. Un pequeño clásico publicado por vez primera en 1943.

RAMÍREZ, J. A. (dir.) (1996-1997): *Historia del arte*, Madrid, Alianza Editorial. Treinta y dos relevantes especialistas españoles han trabajado bajo la dirección de Juan Antonio Ramírez para elaborar esta reciente Historia del Arte en cuatro volúmenes (1. *El mundo antiguo,* 2. *La Edad Media*, 3. *La Edad Moderna* y 4. *El mundo contemporáneo*), probablemente la que mejor combina divulgación y exhaustividad entre las actualmente disponibles en el mercado. Cuenta, además, con más de 2.000 ilustraciones.

VV.AA. (1973): *Historia universal de la arquitectura,* Madrid, Aguilar.
Una enciclopédica historia de la arquitectura dividida en dieciocho volúmenes, escrita por prestigiosos especialistas europeos.

Colecciones

La publicación de libros de arte y arquitectura se ha abordado con frecuencia en colecciones de muy diferentes características. Entre las de carácter enciclopédico cabe mencionar dos vetustas instituciones, las colecciones «Summa Artis» (publicada en Madrid por Espasa Calpe, bajo la dirección de José Pijoán, y de la que todavía se publican nuevos volúmenes actualizados y realizados con criterios más modernos) y «Ars Hispaniae» (específicamente dedicada al arte español, Madrid, Editorial Non Plus Ultra). Una espléndida combinación de buenas ilustraciones y textos de calidad puede hallarse en «El Universo de las Formas», publicada en castellano por Aguilar y dirigida por André Malraux y André Parrot.
Especialmente exhaustiva y rigurosa resulta la colección «Manuales Arte Cátedra», edición española de «The Pelican History of Art» (Harmondsworth, Penguin Books), para la que se han realizado además volúmenes específicamente dedicados al arte español bajo la dirección del profesor Antonio Bonet Correa.
Una orientación más abierta, con claro predominio ensayístico, tiene la colección «Alianza Forma», sin duda la más influyente entre las publicadas en España en las tres últimas décadas. Con un enfoque más divulgativo hay que mencionar la colección «El mundo del arte» (Barcelona, Destino), traducción española de la célebre serie «World of Art», publicada en Londres por Thames and Hudson. La editora de Historia 16 ha publicado también diversas colecciones divulgativas, entre las que destacan las series de «Historia del Arte» (1989), «El arte y sus creadores» (1993) y «Conocer el Arte» (1996).
Finalmente, en los últimos años han aparecido en el mercado diversas colecciones de monografías de gran formato con magníficas ilustraciones, textos con frecuencia rigurosos y precios sorprendentemente asequibles; entre ellas cabe destacar las de las editoriales Taschen y Könemann, y las de la editorial Polígrafa sobre artistas de los siglos XIX y XX.

Diccionarios

Los principales diccionarios de arte publicados en castellano suelen ser traducciones de obras extranjeras. El más completo de todos (aunque no incluye información relativa a arquitectura) es CHILVERS, I., OSBORNE, H. y FARR, D. (1992): *Diccionario de arte,* Madrid, Alianza Editorial, del que además está disponible una versión reducida de bolsillo: CHILVERS, I. (1995): *Diccionario de Arte,* Madrid, Alianza Editorial. Para consultas específicamente relacionadas con la arquitectura, puede recurrirse a PEVSNER, N., FLEMING, J. y HONOUR, H. (1980): *Diccionario de arquitectura,* Madrid, Alianza Editorial; y para el ámbito de las artes aplicadas, a FLEMING, J. y HONOUR, H. (1987): *Diccionario de las artes decorativas,* Madrid, Alianza Editorial. En relación con el arte español, véase VERGARA, A. (dir.) (1996): *Diccionario de Arte Español,* Madrid, Alianza Editorial.

De gran utilidad son los diccionarios de bolsillo de FATÁS, G. y BORRÁS, G. M. (1999): *Diccionario de términos de arte y elementos de arqueología, heráldica y numismática,* Madrid, Alianza Editorial; y PANIAGUA, J. R. (1987): *Vocabulario básico de arquitectura,* Madrid, Cátedra. También los de READ, H. (1992): *Diccionario de arte y artistas,* y LUCIE-SMITH, E. (1992): *Diccionario de términos artísticos,* ambos publicados en castellano por Destino en la colección «El Mundo del Arte».

Para cuestiones iconográficas, véanse DUCHET-SUCHAUX, G. y PASTOREAU, M. (1996): *Guía iconográfica de la Biblia y los santos,* Madrid, Alianza Editorial; AGUION, Y., BARBILLON, C. y LISSARRAGUE, F. (1997): *Guía iconográfica de los héroes y dioses de la Antigüedad,* Madrid, Alianza Editorial. Con carácter más general, HALL, J. (1987): *Diccionario de temas y símbolos artísticos,* Madrid, Alianza Editorial.

Teoría, conceptos y metodología

Como introducción disciplinar a la Historia del Arte, el lector puede recurrir a CHECA CREMADES, F. y otros (1981): *Guía para el estudio de la Historia del Arte,* Madrid, Cátedra; Freixa, M. y otros (1990): *Introducción a la Historia del Arte,* Barcelona, Barcanova; BORRÁS. G. M. (1996): *Teoría del Arte I. Las obras de arte,* Madrid, Historia 16, y MARÍAS, F. (1996): *Teoría del arte II.* Madrid, Historia 16. Un libro muy útil para emprender la elaboración de textos histórico-artísticos es RAMÍREZ, J. A. (1996): *Cómo escribir sobre arte y arquitectura,* Barcelona, Ediciones del Serbal.

El principal repertorio de fuentes para el estudio de la Historia del Arte sigue siendo SCHLOSSER, J. (1976): *La literatura artística. Manual de fuentes de la historia moderna del arte,* Madrid, Cátedra. Los ocho volúmenes de la colección «Fuentes y documentos para la Historia del Arte», publicada en Barcelona por Gustavo Gili, pueden servir como recopilación básica de fuentes textuales.

Un buen repaso a la historia de la teoría del arte se encuentra en BARASCH, M. (1991): *Teorías del arte. De Platón a Winckelmann,* Madrid, Alianza Editorial. Como introducción a la estética pueden consultarse los libros MARCHÁN, S. (1987): *La estética en la cultura moderna. De la Ilustración a la crisis del estructuralismo,* Madrid, Alianza Editorial, y BOZAL, V. (ed.) (1996): *Historia de las ideas estéticas y de las teorías artísticas contemporáneas* (2 vols.), Madrid, Visor.

Técnicas y géneros artísticos

El manual de referencia de técnicas artísticas publicado en castellano es la obra de MAYER, R. (1985): *Materiales y técnicas del arte,* Madrid, Hermann Blume; aunque para un enfoque historiográfico debe consultarse MALTESE, C. (coord.) (1987): *Las técnicas artísticas,* Madrid, Cátedra.
Para el estudio de cuestiones relacionadas con el color como fenómeno histórico-artístico, véase GAGE, J. (1993): *Color y cultura. La práctica y el significado del color de la Antigüedad a la abstracción,* Madrid, Siruela. Dos ensayos introductorios clásicos a los géneros arquitectónico y escultórico son BENEVOLO, L. (1979): *Introducción a la arquitectura,* Madrid, Hermann Blume, y WITTKOWER, R. (1980): *La escultura: procesos y principios,* Madrid, Alianza Editorial.

Índice analítico

(Entre paréntesis y en versalitas, la voz en la que el lector interesado encontrará información sobre cada concepto.)

Índice analítico

mainel (VANO)
mampostería (MURO)
mandorla (CRISTO)
manera negra (GRABADO)
manuelino, estilo (RENACIMIENTO)
maqsura (MEZQUITA)
marquesina (VANO)
mastaba (EGIPCIO, ARTE)
matiz (COLOR)
matroneum (IGLESIA)
mayólica (ARTES DECORATIVAS)
medersa (ISLÁMICO, ARTE)
media caña (MOLDURA)
mediatinta (GRABADO)
mediorrelieve (ESCULTURA)
megalítica, arquitectura (PREHISTÓRICO, ARTE)
mégaron (MICÉNICO, ARTE)
ménade (BACANAL)
menhir (PREHISTÓRICO, ARTE)
merovingio, arte (PRERROMÁNICO, ARTE)
mesolítico, arte (PREHISTÓRICO, ARTE)
metalistería (ARTES DECORATIVAS)
metopa (ÓRDENES ARQUITECTÓNICOS)
mexuar (ISLÁMICO, ARTE)
mihrab (MEZQUITA)
minarete (MEZQUITA)
Minimal Art (CONCEPTUAL, ARTE)
minimalismo (CONCEPTUAL, ARTE)
mirador (VANO)
mocárabe (ISLÁMICO, ARTE)
modelado (ESCULTURA)
Modern Style (MODERNISMO)
monocromía (COLOR)
montaje (*COLLAGE*)
montea (MURO)
monumento (ESCULTURA)
mosaico (ARTES DECORATIVAS)
motivo (TEMA)
mozárabe, arte (PRERROMÁNICO, ARTE)
mucarna (ISLÁMICO, ARTE)
nabis (POSTIMPRESIONISMO)
nacela (MOLDURA)
naos (TEMPLO GRECORROMANO)
nártex (IGLESIA)
Natividad (CRISTO)

nave (IGLESIA)
naveta (PREHISTÓRICO, ARTE)
nazarenos (ROMANTICISMO)
nazarí, arte (ISLÁMICO, ARTE)
neoexpresionismo (POSMODERNO, ARTE)
neogótico (ROMANTICISMO)
neoimpresionismo (POSTIMPRESIONISMO)
neolítico, arte (PREHISTÓRICO, ARTE)
neoplasticismo (ABSTRACTO, ARTE)
neosumerio, arte (PRÓXIMO ORIENTE, ARTE DEL)
nimbo (CRISTO)
nudillo (CUBIERTAS ARQUITECTÓNICAS)
óculo (VANO)
odeón (ROMANO, ARTE)
óleo (PINTURA)
omeya, arte (ISLÁMICO, ARTE)
opistodomos (TEMPLO GRECORROMANO)
opus (MURO)
orante (PALEOCRISTIANO, ARTE)
orchestra (TEATRO GRECORROMANO)
orfebrería (ARTES DECORATIVAS)
orfismo (ABSTRACTO, ARTE)
ostrogodo, arte (PRERROMÁNICO, ARTE)
otoniano, arte (PRERROMÁNICO, ARTE)
ova (ÓRDENES ARQUITECTÓNICOS)
pagoda (EXTREMO ORIENTE, ARTE DEL)
paleobabilónico, arte (PRÓXIMO ORIENTE, ARTE DEL)
paleolítico, arte (PREHISTÓRICO, ARTE)
palestra (GRIEGO, ARTE)
paleta (COLOR)
Pantocrátor (CRISTO)
papier collé (*COLLAGE*)
par (CUBIERTAS ARQUITECTÓNICAS)
paragone (TEORÍA DEL ARTE)
paramento (MURO)
parteluz (VANO)
paso procesional (ESCULTURA)
pastel (PINTURA)
pátina (ESCULTURA)
patrono (MECENAS)
pechina (CUBIERTAS ARQUITECTÓNICAS)
pedestal (ESCULTURA)
péndola (CUBIERTAS ARQUITECTÓNICAS)
performance (CONCEPTUAL, ARTE)